Abhandlungen zur Kunst-, Musik-
und Literaturwissenschaft
Band 384

Heinrich Böll:

Auswahlbibliographie zur Primär- und
Sekundärliteratur. Mit einleitenden
Textbeiträgen von und über Heinrich Böll

herausgegeben von Gerhard Rademacher

1989

BOUVIER VERLAG · BONN

CIP-Titelaufnahme der Deutschen Bibliothek

Heinrich Böll : Auswahlbibliographie zur Primär- und
Sekundärliteratur / mit einl. Textbeitr. von u. über Heinrich
Böll. Hrsg. von Gerhard Rademacher. - Bonn : Bouvier, 1989
  (Abhandlungen zur Kunst-, Musik- und Literaturwissenschaft ; Bd.
  384)

ISB N 3-416-02170-3

ISS N 0567-4999

NE: Rademacher, Gerhard [Hrsg.]; Böll, Heinrich [Mitverf.]; GT

Inhalt

Snobismus, Zynismus sind als Facetten der Literatur
ganz hübsch, vielleicht sogar notwendig —
Grund unter den Füßen bilden sie nicht, sie
schaffen nicht jenes vertraute Gelände, das
das Wort Zukunft noch aussprechbar macht.

Heinrich Böll (1964)

Vorwort

Rilke hat einmal jeden Ruhm eines Autors als Mißverständnis bezeichnet, als Irrtum oder doch Fehleinsicht einer breiten Öffentlichkeit, der das Außerliterarische wohl immer wichtiger ist als die eigentliche ästhetische Dimension eines poetischen Werkes. Ruhm als Akzeptanz und im Umkehrschluß auch als nahezu aggressiver Widerstand von Teilen seiner Leserschaft war auch das Mißverständnis, mit dem ‚man' auf das Werk Heinrich Bölls, des ersten Nobelpreisträgers für Literatur mit deutscher Staatsbürgerschaft nach dem zweiten Weltkrieg, reagierte.

Indem sich Böll für die kleinen Leute und ihr Waschküchenmilieu, gegen das Establishment selbstherrlich agierender Vertreter von Staat und (katholischer) Kirche, für den Frieden und für den Ausstieg aus der Kernenergie einsetzte, um nur einige Beispiele aus dem von ihm gelebten Alltag einer demokratischen Zivilcourage zu nennen, gab er die traditionell verordnete Zurückhaltung des Literaten im Hinblick auf die gesellschaftliche Position des Schriftstellers auf.

Er tat sogar noch ein übriges, als er 1969 anläßlich der Gründungsversammlung des Gesamtverbandes Deutscher Schriftsteller das „Ende der (wirtschaftlichen und damit auch gesellschaftlichen) Bescheidenheit" seiner Berufsgruppe ankündigte. Damit hatte Böll endgültig die (leider auch in Forschung und Lehre zum Teil noch bis heute) gehätschelte Aura um den ‚Dichter' und seine ‚Dichtung' zerstört: In der breiten Öffentlichkeit, in der öffentlichen sowie in der veröffentlichten Meinung spielt die Literatur meist nur eine Rolle, wenn sie ‚anwendbar' ist, entweder vereinnahmbar für ‚die' oder wenigstens für eine der herrschenden Parteiungen und Gruppeninteressen oder zumindest tolerierbar als ‚schöner Schein' für einen aus dem Werktag herausgelösten Schwebezustand des Feiertäglichen.

Weil Böll sich immer wieder in den politischen Alltag einmischte, geriet er nach und nach in die Gefahr, als Schriftsteller in seiner „Ästhetik des Humanen" auf das Humane verkürzt zu werden. Als „guter Mensch aus Köln"sah er sich zudem noch wohlfeil regionalisiert.

Diese Relativierungen laufen auf eine Abwertung des Autors hinaus: „Gebunden an Zeit und Zeitgenossenschaft", kann es nicht weit her sein mit seiner Formkunst, mit seiner Poiesis. Selbst wenn diese Einschätzung zuträfe, wäre es spätestens nach dem Tode des Autors an der Zeit, dessen Defizit an poetischer Kunstfertigkeit zwingend zu belegen und zu diskutieren.

Der Zielsetzung, den ‚poetischen' Böll zu entdecken und zu beschreiben, galt die Rede von Walter Jens zum 70. Geburtstag des Autors am 21. 12. 1987, in der er u. a. dazu aufforderte, sich auf den phantasievollen Erfinder einzulassen „mitsamt seinen riskanten Okkupationen von artifiziellen Raum-Zeit-Gefilden". Böll müsse als „Spieler, Formkünstler und Erfinder von stilistischen Volten auf dem Gebiet des Prosarhythmus" ernst genommen werden.

Die vorliegende Veröffentlichung kann selbstverständlich diesen Anspruch nicht einlösen, sondern nur eingeschränkt auf ihn aufmerksam machen. Im Zusammenhang und in Ergänzung zu der bereits vorher erschienenen Publikation „Heinrich Böll als Lyriker" (Frankfurt a. M./ Bern 1985) geht es hier einerseits um eine vorläufige und lückenhafte Bestandsaufnahme der wissenschaftlichen Auseinandersetzung mit dem Werk des Autors auf der Basis einer Auswahlbibliographie, andererseits um einige konkrete Anregungen, in welcher Richtung künftig die ästhetischen Strukturen bestimmt werden könnten.

Die Auswahlbibliographie zur Primär- und Sekundärliteratur (Redaktionsschluß: 31. 5. 1988) kann den eingeführten bio-bibliographischen Abriß „Der Schriftsteller Heinrich Böll" von Walter Lengning (München, 5., überarbeitete Aufl. 1977) sowie kompensierende Veröffentlichungen nicht ersetzen. Sie dient vielmehr dazu, als Handreichung dem Benutzer eine erste Übersicht über das Material zu verschaffen. Der Gliederungsraster der Primärwerke ist in etwa mit dem der Sekundärwerke kompatibel.

Schon bei einer überschlägigen Bewertung des bibliographischen Materials fällt auf, daß die Untersuchungen über Leben und Gesamtwerk des Autors quantitativ überwiegen. Außerdem ergibt sich aus der bloßen Titelerfassung die Übergewichtung gesellschaftlicher und politischer Fragestellungen – exakt ein Spiegelbild der eingangs skizzierten einseitigen Reaktion auf die ‚politische' Herausforderung des Böllschen Werkes.

Hier wie auch bei Sekundärwerken zu Einzelaspekten wird deutlich, daß der Zugriff der Forschung nicht ausschließlich aus der Literaturwissenschaft erfolgt, sondern auch aus anderen Disziplinen, z. B. aus der Theologie, der Soziologie/Politologie, der Literaturdidaktik, ja, sogar aus der Volkskunde.

Die einleitenden Textbeiträge des Bandes von und über Heinrich Böll sollen die Bibliographie nicht garnieren, sondern dem Benutzer Gelegenheit geben, sich mit der notwendigen Revision der literaturwissen-

12

schaftlichen und literaturkritischen Standortbestimmung des Autors bekannt zu machen.

Der Abdruck variierender Fassungen von drei Gedichten zeigt die gezielte und akribische Wortarbeit des Autors am Beispiel der Kleinform. Darüber hinaus könnte gerade in diesem von der Forschung bisher wenig berücksichtigten Bereich des Böllschen Werkes ein neuer Zugriff gewagt werden – relativ unbelastet von der häufig pauschalen und bloß ‚inhaltlichen' Betrachtungsweise des Gesamtwerkes.

Die beiden Aufsätze von Heinrich Vormweg „Aus der Nähe" und „Heinrich Böll der Schriftsteller" sowie die biographische Prosa „Gefühlvolle Reise – Erinnerung an Tage mit Heinrich Böll" des ungarischen Schriftstellers Gábor Görgey illustrieren Perspektiven auf Leben und Werk, die den Leser zu der revidierten Einstellung veranlassen könnten.

Der Beitrag von Otto Köhler demonstriert, daß einerseits die Verdächtigungen von Böll und seinem Werk als Aufforderung zum Anarchismus und Terrorismus aufrechterhalten werden sollen, andererseits aber der Widerstand der ernstzunehmenden ‚geistigen' Öffentlichkeit gegen eine solche Art übler Nachrede wächst.

Ergänzend sind die Aufsätze „Das Unerklärliche – Zu Heinrich Bölls Essay „Die Juden von Drove" von Klaus Jeziorkowski und „Sanfter Engel und subversive Madonna – Mythologische Anspielungen in und zu Gedichten Heinrich Bölls" des Herausgebers als Versuche aufzufassen, am überschaubaren Einzeltext der ästhetischen Strukturierung auf die Spur zu kommen.

Zum Schluß noch ein Hinweis auf den Anlaß zur Herausgabe dieser Handreichung: In der Zeit vom 26. November 1986 bis zum 15. Januar 1987 veranstaltete die Stadt- und Landesbibliothek Dortmund eine Buchausstellung mit dem Thema „40 Jahre Literatur in Nordrhein-Westfalen – zum Beispiel Heinrich Böll". Sie diente außer zu Erinnerung an das Gründungsjahr des neu geschaffenen Bundeslandes in erster Linie dazu, „ausgewählte Forschungsliteratur zu Heinrich Böll als Dokumentation von Rezeption, Kritik an der Vermittlung seines Werkes" nachzuweisen. Drei der Vorträge im Begleitprogramm werden hier abgedruckt.

Der Herausgeber dankt an dieser Stelle Herrn Dr. Hans-Christian Müller, dem stellvertretenden Leiter der Stadt- und Landesbibliothek Dortmund, für seine maßgebliche Unterstützung bei der Durchführung der Austellung wie auch bei der Abfassung der Auswahlbibliographie. Ausdrückliche Anerkennung gilt Frau Mechthild Schüler, Bibliothekarin im gleichen Institut, die beide Vorhaben kooperativ mittrug und mitgestaltete.

Nicht zuletzt sei den Herren Viktor und René Böll, Heinrich-Böll-Archiv, Köln, bzw. Lamuv-Verlag, Bornheim, gedankt, die die Austellung durch wichtige Leihgaben und die Veröffentlichung durch Freigabe von Textfaksimiles etc. unterstützt haben.

Mein Dank gilt auch in besonderer Weise den Mitarbeitern dieses Bandes, die mir ihre Arbeiten bereitwillig zum Abdruck überlassen haben.

Gerhard Rademacher

Heinrich Böll

Drei Gedichte in unterschiedlichen Fassungen

I. Engel, wenn Du ihn suchst

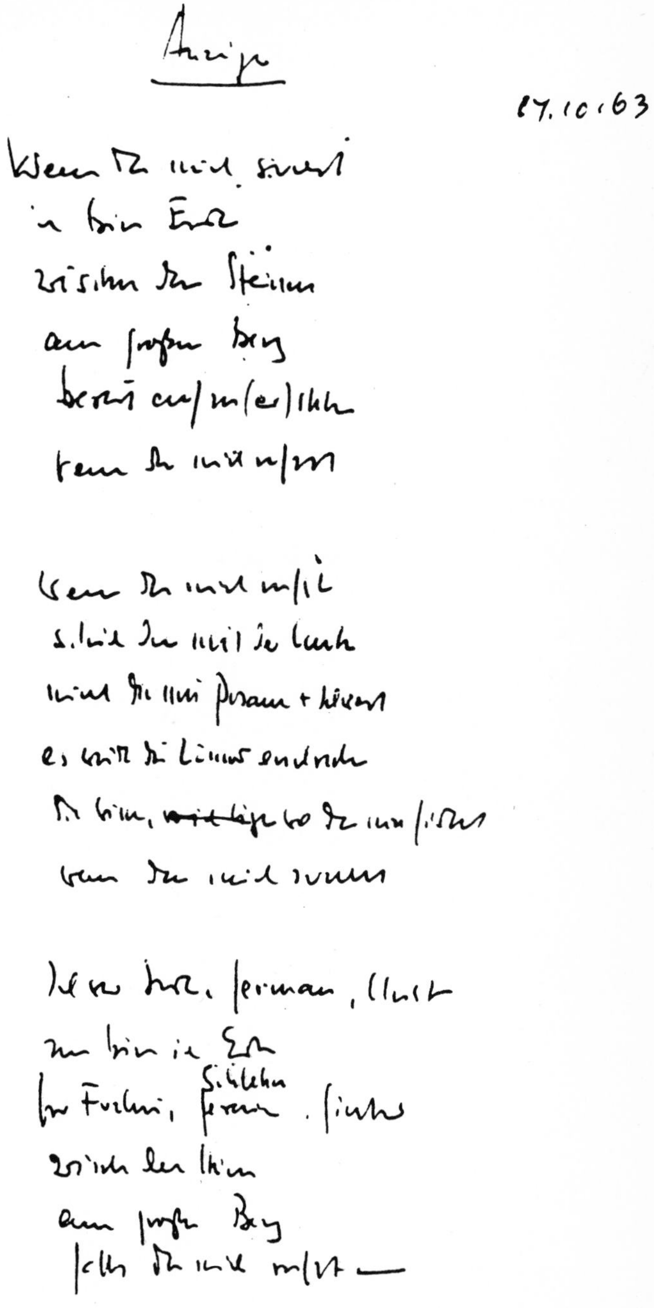

Anzeige

27.10.63

Wenn Du mich suchst
in dieser Erde
zwischen den Steinen
am großen Berg
bereit aufzu(er)stehen
wenn du mich rufst

Wenn Du mich rufst
schickst Du mich [illegible]
wird dir [illegible] Posaune + [illegible]
es wird die [illegible] entdecken
die bin, ~~mit liege~~ wo du mich findest
wenn Du mich suchst

Ich war Dachs, Germane, Christ
nun bin ich Erde
für Forellen, Schlehen [illegible], [illegible]
zwischen den Steinen
am großen Berg
falls Du mich rufst —

Engel, wenn Du ihn suchst
er ist Erde
zwischen den Steinen am großen Berg
bereit aufzustehen
wenn Du ihn rufst

Wenn Du ihn rufst
ohne Macht
ohne Herrlichkeit
ruf wie ein Bruder
wenn Du ihn suchst

Germane war er Jude Christ
Erde ist er
für Schlehdorn Fuchsie Ginster
Zwischen den Steinen am großen Berg
wenn Du ihn suchst

Wenn Du ihn findest Engel
mach ihn neu
nicht aus Blut
nicht aus Galle
aus Tränen mach ihn neu
wenn Du ihn findest

Viktor Hermanns

Heinrich Böll

Engel, wenn Du ihn suchst
er ist Erde
zwischen den Steinen am großen Berg
bereit aufzustehn
wenn Du ihn rufst

Wenn Du ihn rufst
ohne Macht
ohne Herrlichkeit
ruf wie ein Bruder
wenn Du ihn suchst

Germane war er Jude Christ
Erde ist er für Schlehdorn Fuchsie Ginster
zwischen den Steinen am großen Berg
wenn Du ihn suchst
Wenn Du ihn findest Engel
mach ihn neu
nicht aus Blut
nicht aus Galle
aus Tränen und
ein paar Tropfen Rheinwasser
mach ihn neu
wenn Du ihn findest
(1965)

II. Ein Kind ist uns geboren, ein Wort ist uns geschenkt

Heinz Ludwig Arnold
Tuckermannweg 10
3400 Göttingen   2. 7. 1981

Lieber Herr Böll,
   beiliegend in der Rolle schicke ich Ihnen 2 Blatt Umdruckpapier für
die Textgraphik und zwei Spezialstifte, einen weicheren, einen etwas
härteren, mit dem das Papier beschrieben werden sollte. Sie brauchen
keinen Rand zu lassen, d. h. Sie werden das Blatt ja sicherlich nicht bis
zum Rand ausschreiben und − zeichnen, so daß ein Rand von 2−3 cm
von selbst bleibt.
   Wichtig wäre allerdings schon, daß Sie Ihrer zeichnerischen Phantasie keine allzu engen Zügel anlegten; das bildnerische Element sollte
unbedingt zum Text hinzukommen: als Illustration, als Texterweiterung
oder als spielerischer Entwurf, der vom Text ausgeht, ganz wie Sie wollen. Aber gerade das auch Bildhafte, das zum Text tritt, macht ja den
Reiz der Blätter aus.
   Wenn Sie mit diesen beiden Blättern nicht auskommen − es sind die
einzigen, die ich momentan hier habe −, möchte Frau Grützbach doch
bitte Berndt Oesterhelt anrufen (entweder in München, meist montags
und freitags: 089/432055, oder sonst in Stuttgart: 0711/734011) und noch
ein paar neue Blätter für Sie bestellen − Bitte schicken Sie das gezeich-
nete und beschriebene Blatt an Dr. Oesterhelt, Boorberg-Verlag, Leve-
lingstr. 8, 8000 München−80. Am besten in der Rolle, in der ich die
Vorlage schicke.
   Vielleicht rufe ich heut noch bei Ihnen an; sonst wünsche ich ihnen
alles Gute und sende herzliche Grüße an Sie und Ihre Frau.

Ihr
Lutz Arnold

Heinrich Böll

Heiliger Sachzwang

Die Marktwirtschaft, die Freie, gibt ihren Kindern denkwürdige Namen, das jüngste, einen Knaben, hat sie *Sachzwang* genannt. Wenn ich versuche, mich von der Bedeutung, die dieser Name haben könnte, zu lösen, ihn nur als lautliches Gebilde wahrzunehmen, gerate ich in die Nähe des Schluchtenhunds, auf Morgensternsche Auen, und fange an, frei nach Morgenstern, zwanglos dem Wort „Zwang" in seiner Lautlichkeit Geschwister zu bilden: Der Sachzwang und der Wirtschaftszwang, die hatten eine Schwester, das war die kleine Zwangswirtschft, geboren an Sylvester. Man kann mit den Wörtern Zwang, Wirtschaft und Sache beliebig spielen, aus dem Sachzwang eine Zwangssache machen, aus der Zwangswirtschaft eben Wirtschaftszwang. Sachliche Zwänge hat's ja immer schon gegeben, aber sie waren, wie die wirtschaftlichen Zwänge, noch adjektivisch verbrämt.

Es muß einer schon zugeben, Einfälle hat sie, sprachschöpferisch ist sie, die Marktwirtschaft, die Freie, sie wäre des Preises einer Akademie würdig, und der Laudator könnte jubeln: Ein Kind ist uns geboren, ein Wort ist uns geschenkt; wenn sie, die Einfallsreiche, wirklich einer Morgenstern-Nostalgie erlegen wäre. Ich fürchte nur, Morgenstern hat hier nicht Pate gestanden, wenn ich auch vermute, daß der Sachzwang ihm so willkommen gewesen wäre wie das Siebenschwein.

Wie aber kommt sie, die Marktwirtschaft, die Freie, dazu, dem Wort Zwang in ihrer Familie Rang und Hintergrund zu verleihen? Werden wir, freie Menschen, etwa von Sachen zu etwas gezwungen? Und wenn ja, welche Sache zwingt da wen oder was zu was? Da Vermenschlichung ein so bedrohlicher Begriff ist, hat man ihr ja schon die Versachlichung entgegengesetzt. Es gibt ja leider immer noch das „menschliche Versagen", wie wäre es, wenn man das „sachliche Versagen" in die Terminologie aufnähme? Da es bisher nur erst „wirtschaftliche Zwänge" gibt, der „Wirtschaftszwang" noch nicht geboren ist, wollen wir den kleinen Sachzwang vorläufig gut im Auge behalten. Eine kluge und sensible Frau gibt ihren Kindern keine Zufallsnamen. Noch ist er klein, der liebe Sachzwang, und seine Mutter flüstert ihm vielleicht zu: „Werde groß und stark, du mein Schneller Brüter, und wenn da Leute auf die Idee kommen du wärst mir aufge- überhaupt, was soll denn aus der deutschen Kultur werden, wenn Sylt von diesem Ölteppich umschlos-

21

sen wird? Man wird ja wohl gelegentlich noch an die deutsche Kultur denken dürfen. War's nun menschliches oder sachliches Versagen, ist es nun ein Unfall oder eine Katastrophe, oder wird man sich zum Frühschoppen-Kompromiß entschließen und es einen katastrophalen Unfall nennen?

Ganz gewiß ist mit *Sachzwang* nicht gemeint, daß die Sache, die man Energie nennt, uns nun in eine solche Katastrophe hineinzwingt. Das Gegenteil ist gemeint: der Sachzwang zwingt uns, eine solche Sache um der Sache − welcher? − willen hinzunehmen, nicht nur nicht darüber nachzudenken, was da alles noch passieren kann, auch nicht darüber nachzudenken, was das dann bloß alles *kosten* mag. Der Sachzwang will, daß wir uns in Fatalismus üben.

Geburtsanzeige

Die Marktwirtschaft, die Freie, gibt die Geburt eines – leider einmal – illegitimen Kindes bekannt. Gesucht ist es ein Knäblein. Es soll den Namen SACHZWANG erhalten. Kurzfristige Wirtschaftslösung oder der zur Hauptwirtschaft werden auf die Marktzwang, Wirtschaftslösung oder Zwangswirtschaft und strafrechtlich verbotene Formulierung bei Zeitschlitzung und Siebenschreiben. Er ist verbotene eine Formulierung des Schlechtenhandes oder des Siebenschreiben. Er ist kein Vorhandene des Schlechtenhandes oder dem Entsorgen ist kein Ölteppich, kein Lausilangriff auf dem verkrumst mit dem Ölteppich. Das Treppenzeichen seiner (ungläubisch seine Treppenzeichen ist zu Züüge, Das Treppenzeichen ist ab ausgeschickte sein Treppenzeichen ist zu Züüge. Geburtsblick. Jebemand Kerles möchte, bei der Knabel. Geburtsblick ab ausgeschickte genannt Kerles möchte, bei die berühmte Steuerschraube sein. Seine Amme wird die berühmte Steuerschraube. Arbeitnehmer willkommen, von Arbeits-Geschenke (Opfer) sind auch von Arbeitnehmer willkommen, von Arbeits-Dank bar entgegengenommen. Frank– oder Festonnerung, werden mich vorgestellt

i. A. Bez (nicht so vergleich)

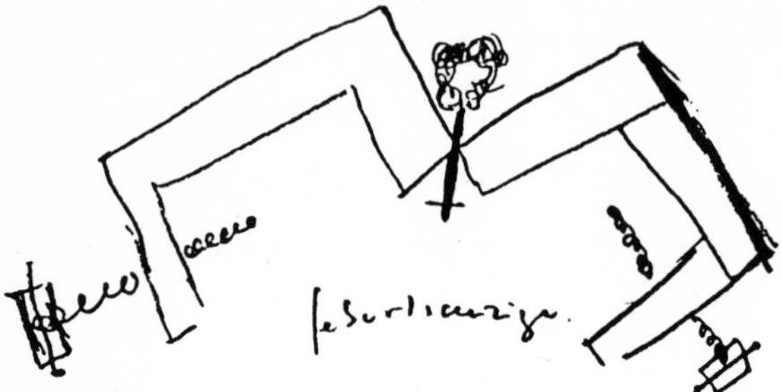

Ein Kind ist uns geboren, ein Wort ist uns geschenkt!

Geburtsanzeige

Mitten auf dem freien Markt hat die Zwangslage dem
Wirtschaftszwang ungezwungen ein Knäblein geboren.
Sein Name soll sein: Sachzwang, sein Wappenzeichen:
die Zwinge, seine Paten sind die gute alte Zwingzwang
und der Zwängerich. Zinszwang und Zwangzins stehen ihm
zur Seite. Der Ölteppich ist ausgebreitet, der
Entsorgungspark geöffnet, Lauschangriff und Ausgewogenheit haben ihre Buden offengehalten, der Rüstungszwang stellt Horoskope aus.

Geschenke (Opfergaben) werden von Arbeitslosen,
Arbeitnehmern, Witwen, Waisen, Kriegsopfern, Klappsmüllern
entgegengenommen, Subventionen nicht verschmäht. Kein
Frackzwang.

Verwandtschaft mit dem Siebenschwein und dem
Schluchtenhund besteht nicht! Sachzwang ist ein ernstes
und gesundes Kind; ihm wird Wachstum garantiert.

Im Namen der zahlreichen Verwandtschaft
Zwingzwang und Zwängerich als Paten.

Ein Brüter soll er werden, ein schneller!

Heinrich Böll

Als „Textgraphiker" kann man Heinrich Böll kennenlernen mit einer „Geburtsanzeige", die er selber gezeichnet, deren satirischen Text er auf ein großes Blatt geschrieben hat. Unter der weihnachtlichen Überschrift: „Ein Kind ist uns geboren, ein Wort ist uns geschenkt", teilt Böll mit: „Mitten auf dem freien Markt hat die Zwangslage dem Wirtschaftszwang ungezwungen ein Knäblein geboren. Sein Name soll sein: Sachzwang, sein Wappenzeichen die Zwinge." In einer Auflage von 250 Exemplaren, numeriert und handsigniert, ist das Blatt zum Stückpreis von 50 Mark als Liebhaberdruck im Verlag der von Böll mitherausgegebenen politisch-literarischen Zeitschrift „L '80" in Köln erschienen, zusammen mit ähnlichen Blättern, die Günter Grass und Sarah Kirsch gezeichnet und geschrieben haben.

Ein Kind ist uns geboren,
ein Wort ist uns geschenkt!

Geburtsanzeige

Mitten auf dem freien Markt hat die Zwangslage dem
Wirtschaftszwang ungezwungen ein Knäblein geboren.
Sein Name soll sein: Sachzwang, sein Wappenzeichen:
die Zwinge, seine Paten sind die gute alte Zwingzwang
und der Zwängerich. Zinszwang und Zwangzins stehen
ihm zur Seite. Der Ölteppich ist ausgebreitet, der
Entsorgungspark geöffnet, Lauschangriff und
Ausgewogenheit haben ihre Buden offengehalten, der
Rüstungszwang stellt Horoskope aus.

Geschenke (Opfergaben) werden von Arbeitslosen,
Arbeitnehmern, Witwen, Waisen, Kriegsopfern,
Klapsmüllern entgegengenommen, Subventionen nicht
verschmäht. Kein Frackzwang.

Verwandtschaft mit dem Siebenschwein und dem
Schluchtenhund besteht nicht! Sachzwang ist ein ernstes
und gesundes Kind, ihm wird Wachstum garantiert.

Im Namen der zahlreichen Verwandtschaft
Zwingzwang und Zwängerich als Paten.

Ein Brüter soll er werden, ein schneller!

III. Frei nach B. B.
Für Tomas Kosta zum 60.

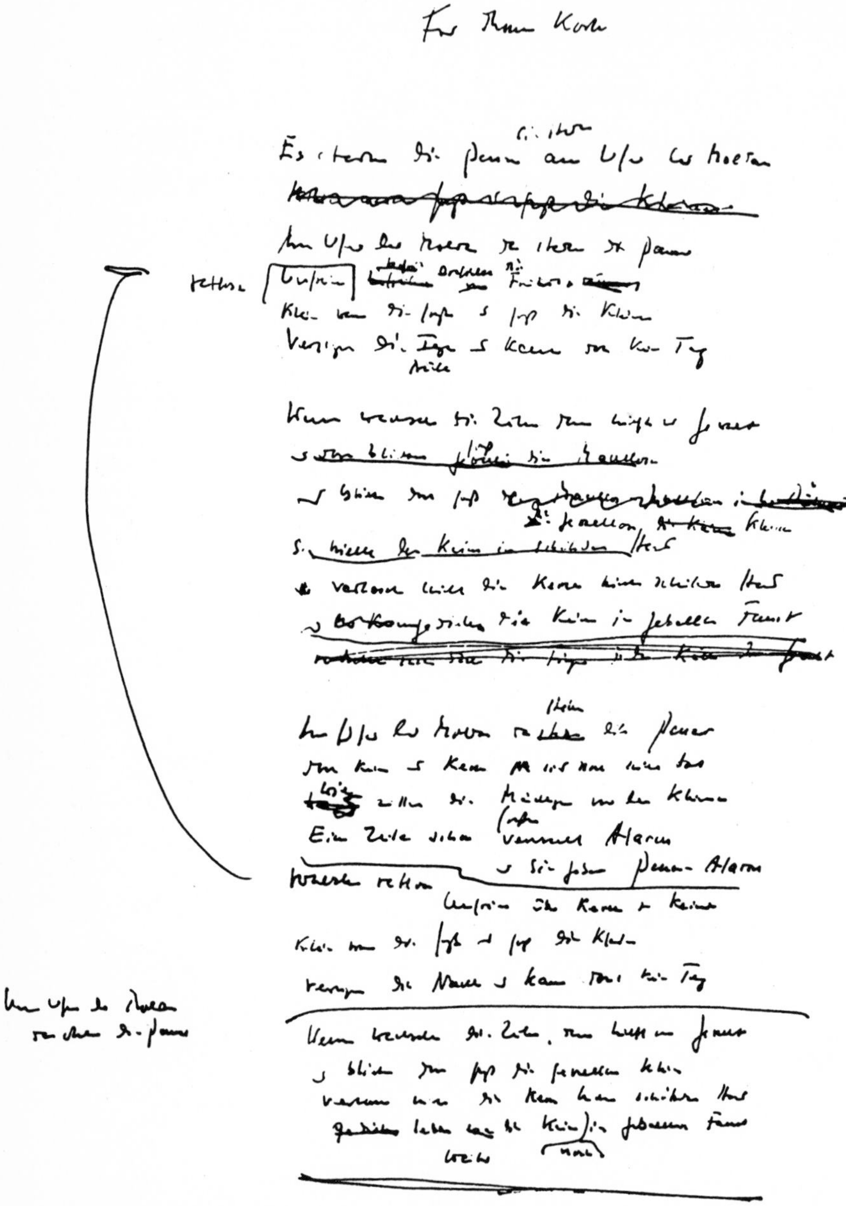

Es stehen die Bauern am Ufer der trüben
Bäche ratlose Ungewiß über keinerlei Hoffnung
Klein werden die großen und groß die Kleinen
versinken die Nächte und kaum noch kein Tag

Wenn wechseln die Zeiten, sie müßten fürwahr
und blieben doch selbst die herzlosen Kleinen
hielten den Keim in geballter Faust
verloren nicht die Kerne hinter schützender Hand

Es stehen die Bauern am Ufer der trüben
sie zittern die großen vor Kernen und kein
Musik, sie leben schon verstört in der Panik
einer Zeile und der jeden Bauern Alarm

für mein B. B
für Thomas Kosta zum 60.

Heinrich Böll

29

Frei nach B. B.

Für Tomas Kosta zum 60.

Es standen die Panzer am Ufer der Moldau
walzten ratlose Unfreie über keimende Hoffnung
Klein waren die Großen und groß die Kleinen
vergingen die Nächte und kam doch kein Tag

Wenn wechseln die Zeiten, so hilft nur Gewalt
und blieben doch groß die gewaltlosen Kleinen
hielten den Keim in geballter Faust
verlosch nicht die Kerze hinter schützender Hand

Es stehen die Panzer am Ufer der Moldau
wie zittern die Großen vor Kerze und Keim
Musik, ein Wort schon versetzt sie in Panik
eine Zeile und sie geben Panzer-Alarm

Aufsätze

Heinrich Vormweg

Aus der Nähe

Zum Tode Heinrich Bölls

Es war ein reiches, ja überreiches Leben. Ein Leben reich an Arbeit und Mühe, doch ebenso reich an Wirkung und Erfolg, an Beifall und Ruhm. Auch an Gegnern, Feinden, fehlte es nicht. Der Nobelpreis für Literatur auf der einen, die Hetzkampagnen der Springerpresse auf der anderen Seite. Viele Jahre hat Heinrich Böll als ihr Gegen-, ja Antirepräsentant gestanden für die Bundesrepublik Deutschland selbst, für ihr besseres, sich aus der deutschen Nazivergangenheit selbstkritisch und mühsam befreiendes Teil, und wenn das die Mehrheiten im Land nicht wahrzunehmen vermochten oder wahrhaben wollten, so mußten deren Repräsentanten es sich gelegentlich von jenseits der Grenzen sagen lassen.

Ein deutscher Schriftsteller mit Weltruhm, gelesen, bewundert in West wie in Ost, und dazu − unparteiisch, fordernd, immer zum Widerwort im Namen der Schwächeren bereit − ein politischer Kopf, der sich von den eigenen Befunden und Urteilen durch keinen Ordnungsruf abbringen ließ. Er wurde erhoben zur „Instanz". Und mehr als andere jedenfalls, die das für sich in Anspruch nehmen, hat er sich um die zweite deutsche Republik, insofern sie ein menschliches Antlitz hat, verdient gemacht.

Es ist nicht versäumt worden, Heinrich Böll dafür zu ehren, mit Preisen und Orden, mit der Ehrenbürgerschaft seiner Heimatstadt, einer Ehrenprofessur des Landes Nordrhein-Westfalen. Sein Rang als Erzähler, seine kritische Redlichkeit, sein Selbstverständnis als Bürger, sein Mut zum Widerspruch, seine Mitmenschlichkeit, sein Eintreten für Entspannungspolitik, Menschenrechte und demokratischen Sozialismus, für die Friedensbewegung oder die Hungernden in der sogenannten Dritten Welt − dies alles ist auch in den Tagen und Wochen seit seinem unerwarteten Tod am 16. Juli noch einmal erinnert und in seiner spannungsreichen Komplexität gewürdigt worden. Bölls Bild in der Geschichte, und nicht allein der Literaturgeschichte, scheint schon gerundet. Im Augenblick läßt sich den ungezählten Nachrufen kaum noch etwas hinzufügen. Ich habe viele von ihnen mit Respekt gelesen, gehört, angeschaut. Jedenfalls in der Summe haben sie ein Gefühl für die Größe des Verlusts und durchaus auch eine Vorstellung dessen übermittelt, wer Heinrich Böll war; die Versuche, ihm nachzuschimpfen, sein Bild zu banalisieren und zu verzerren, erledigen sich von allein.

Und doch bleibt, ganz unabhängig von der Trauer um Heinrich Böll selbst, ein Ungenügen, als seien, trotz vieler großer und schöner Worte, Bölls Werk und sein Leben auch jetzt, schon im Rückblick unklar geblieben, unerreicht. Als schlössen die Totale, die fokussierten Bilder, die Gesamtschau gerade das in ihnen aus, was das Salz war, das Unverwechselbare. Als schöben sie, nur etwas differenzierter, erneut Vorstellungen nach vorn, gegen die Böll sich gerade immer wieder mit Händen und Füßen gewehrt hat, Vorstellungen wie, er sei das „Gewissen der Nation" oder der „Gute Mensch von Köln" oder – als Nobelpreisträger – Deutschlands Oberdichter gewesen. Nicht einmal Gegenrepräsentant wollte er sein, auch keine moralische Instanz, keinerlei Richtlinien wollte er geben, nicht Vorbild sein. Er wollte etwas anderes. Was aber?

Wie er sich gewehrt hat gegen die Versuche, ihn auf Rollen festzulegen, immerhin große, tragende Rollen, das ist Heinrich Böll öfters als eine besondere, immer noch mehr heischende Eitelkeit oder Sucht ausgelegt worden. Konnte er sich denn nicht endlich zufriedengeben mit all dem Erreichten? Es ist vielen unbegreiflich geblieben, daß es ihm um all das Erreichte gar nicht ging. Zwar hat er Vorrechte und Privilegien, Ehrungen und Auszeichnungen sicherlich auch genossen. Er hat sich ganz gewiß erhoben gefühlt, als er im geliehenen Frack in Stockholm den Nobelpreis in Empfang nahm. Wie anderen schmeichelte es ihm, als großer Schriftsteller von schon historischem Rang apostrophiert zu werden. Immer jedoch war zugleich mit Händen zu greifen, daß all das ihm einerseits nur als eine Art Rüstung diente, die seine ganz ungesicherte wirkliche Erwartung, seinen nie aufgegebenen Traum von einem anderen, sich in Mitmenschlichkeit verwirklichenden Leben, seine existentielle Schutzlosigkeit, seine Verletzlichkeit nach außen abschirmte. Und immer wieder lief es andererseits darauf hinaus, daß er allen Ruhm zwanghaft umkehrte und ihn aufsässig nutzte zur erneuten noch radikaleren Apostrophierung seines Traums von einem Leben in Glauben, Liebe, Treue ihn rebellisch nutzte zur Verteidigung der Schwachen, der kleinen Leute aller Art, der Ausgebeuteten, der Verfolgten in Ost und West, der Hungernden und Aufbegehrenden in der sogenannten Dritten Welt.

Wer Bölls seit den frühen Nachkriegsjahren entstandene Erzählungen und Romane kennt, die Art und Weise kennt, wie er sich in ihnen den erbärmlichen Realitäten des Kriegs, der Heimkehr, des Lebens in Trümmern ausgesetzt hat, wie er sich in ihnen dann der Restauration alter Bürgerlichkeit, den sozialen Verzerrungen in Wiederaufbau und Wirtschaftswunder, der Rehabilitierung der alten Nazis und Generäle, der Wiederbewaffnung und dem Wir-sind-wieder-wer konfrontierte, der hat zumindest eine vage Ahnung davon, was sein Traum von einem anderen, mitmenschlichen Leben war. Wie Böll, ganz aussichtslos, für seine Verwirklichung eintrat, das läßt sich ablesen schon an der ersten größeren Arbeit, die er nach Erhalt des Nobelpreises veröffentlichte. Er hätte es da so leicht jedermann recht machen können mit einem gehalten realistischen, klassisch ausgeglichenen Erzählwerk. Statt dessen kam „Die verlorene Ehre der Katharina Blum", legte Böll sich frontal an mit dem Springer-Imperium, aus dem heraus er deshalb bis heute attackiert wird. Gerade diese skandalöse Erzählung, sie handelt von nichts anderem als von dem Glauben, der Liebe, der Treue einer jungen Frau, die zuerst in den Schmutz gezogen und dann geknebelt werden in einer Gesellschaft, die auf dem Weg ist zu vergessen, was die Menschen denn menschlich sein läßt.

Dem, was Heinrich Böll erzählt hat, ist überall abzulesen, was sie ist, seine Erwartung eines anderen, menschlicheren Lebens. Forsch rationalisieren läßt diese sich freilich nicht. Ins Repertoire der instrumentellen Vernunft einholen läßt sie sich nicht. Dafür hat sich diese Erwartung, als gebe es keine Grenzen, wie von selbst in alle Sprachen übersetzt. Gleichwohl meint sie etwas Unbestimmtes, und erst wer Heinrich Böll sehr nahe kennengelernt hat vielleicht, dem ist ganz faßlich und deutlich geworden, daß es trotz all der zeitgemäßen Entstellungen zugleich unmittelbar lebendig, konkret ist, und etwas sehr Einfaches. Es meint die Bedürfnisse, Wünsche, Gedanken, Erwartungen jedes Menschen selbst, nur frei von all den Konditionierungen, den offenen und verdeckten Zwängen, die schon bei der Kleiderordnung beginnen, den Ritualen, Ansprüchen, scheinbaren Selbstverständlichkeiten, die zuviel Macht über die Menschen gewonnen und es immer schwerer gemacht haben, nur einfach in Glauben, Liebe, Treue von einem Menschen zum anderen zu sprechen, nur einfach zuzuhören und jeden sich selbst wiederentdecken zu lassen, nur einfach sich mitzuteilen und darin schon − zu teilen.

Heinrich Böll war ein Erzähler, ein Redner dazu, aber zugleich ein außerordentlicher Zuhörer, so als hinge beides ganz unmittelbar zusammen. Ihm erzählte jeder mehr als anderen, oder versuchte es doch, und schon das war befreiend. Niemals baute er Hürden auf, und niemanden zwängte er ein, sich selbst ebenfalls nicht; sogar für das völlig entfremdete Belauern und Betatschen, das nichts als die leere Prominenz meint und dem er oft genug ausgesetzt war, brachte er Geduld auf, wußten so viele es doch offensichtlich nicht mehr anders. Niemals auch „verriet" er jemanden, so gut er sich zu wehren verstand.

Die Herausgeber von L'80 haben oft mit ihm um den Tisch gesessen und geredet stundenlang. Da blieb Heinrich Böll eher schweigsam, trank seinen Kaffee, rauchte, hörte zu. Konzepte, Planungen, Argumente interessierten ihn, doch sie waren eigentlich seine Sache nicht, er redete nur drein, wenn er Einwände hatte oder wenn es um konkrete Einzelheiten ging. Seine Gegenwart allerdings, sie war jeden Moment spürbar, sie teilte sich jeden Augenblick mit. Auch Formeln wie „Demokratie und Sozialismus", „demokratischer Sozialismus" waren seine Sache weniger, obwohl er mit dem, was sie meinen, übereinstimmte, es bejahte, die Verwendung solcher Formeln für unvermeidlich hielt. Doch er selbst sprach inhaltlicher, handfester, direkter davon, stets auf die Menschen bezogen, und hiernach prüfte er die abstrakten Argumente.

Stand er in der Tür seines Hauses in der Eifel, in seiner verdrückten Schriftsteller-Arbeitskleidung wie ein Handwerker, unrasiert meist, müde vom Tag und in den letzten Jahren auch vom täglichen Ankämpfen gegen seine Krankheit, sagte „Da seid ihr ja", war Heinrich Böll unaufdringlich und unverwechselbar sogleich ganz da. Das ist für mich eines der unvergeßlichen Bilder von ihm: ein bißchen traurig in der Tür des kleinen Bauernhauses stehend, um zu begrüßen, oder beim Abschied. Das andere Bild ist geläufiger: in einem seiner vielgebrauchten Korbsessel, Kaffee und Zigaretten vor sich und eine brennende Zigarette in der Hand, zuhörend und sprechend, ohne einen Rahmen um sich, weder aus Büchern noch aus den anderen Instrumenten der Schreibarbeit. Das Telefon immer weit weg, in einem anderen Zimmer.

Von der Hülchrather Straße 5 bis zum Haus auf Achill Island im Nordwesten Irlands habe ich mehrere seiner Arbeitsplätze kennengelernt, an diesem und jenem bei längeren Gesprächen mit Heinrich Böll gesessen. In meiner Erinnerung sind alle einander absichtslos ähnlich: ein kleiner Tisch mit einem Ausblick nach draußen, der stets einem kargen, etwas verhangenen, unbewegten Stilleben glich, und im Rücken ein kleines, wie zufällig möbliertes Zimmer ohne Apparaturen, mit wenig Büchern. Papier, Füllfederhalter und Bleistifte, eine betagte Schreibmaschine — das reichte hin, es ging ja um das Schreiben selbst, und

Heinrich Böll wußte offensichtlich, daß es eine Illusion ist, das ließe sich erleichtern durch technische Hilfsmittel. Der Schreibende ist mit seinen Wörtern allein. In einer Art Mönchszelle zu sitzen, das erleichterte Böll dieses Alleinsein, ohne das sich der Blick in das Leben nicht öffnet.

Diese Bilder, sie haben mir immer verdeutlicht und beglaubigt, was Heinrich Böll mir Ende 1982 einmal erzählt hat in einem Gespräch über den Schreibprozeß, wie er ihn erlebte. „Du holst dir", sagte er, „aus dem Steinbruch einen Stein, dann kommt der bewußte Vorgang der Bearbeitung dieses Brockens Stoff, nennen wir es: Stoff. Da wissen wir noch zu wenig drüber, da weiß ich auch selber zu wenig darüber, ich kenne nur diesen Vorgang, der sich bei mir immer wiederholt, daß ich nicht mit meisterlicher Sicherheit an eine Sache herangehen kann. Selbst wenn ich drei Schreibmaschinenseiten einer Rezension schreiben soll oder will, dann fange ich immer wieder von vorne an, hole mir erst den Brocken oder sagen wir in dem Fall, den kleinen Stein und dann fange ich an, den zu bearbeiten. Ich weiß nicht, wie das bei anderen Autoren ist. Für mich ist jedes Geschriebene ein Experiment. Ich weiß vorher nicht, was daraus wird."Und weiter: „Was da im einzelnen passiert, mit dir, in dir, um dich herum, während du daran arbeitest, das ist nicht eruierbar. Und ich selber rede darüber und gucke mir das nachher an, dann denke ich immer, es ist nicht alles gesagt, auch nicht alles sagbar, alles ausdrückbar. Ich bin auch sehr skeptisch, wenn ich große historische Vorbilder darüber lese, wie sie das so und so gemacht haben. Ich glaube, da bleibt immer ein Rest".

Schreibend, erzählend immer ganz von vorn anfangen, und niemals im voraus wissen, was daraus wird. Unversehens aber verdeutlicht sich in der „sehr genauen Arbeit" an dem „Brocken Stoff", „in der aber auch viel Unbewußtes ist", was sich in diesem Brocken verbirgt, das Wirkliche in ihm, die Spannung und die Widersprüche in ihm. Die Realität entschleiert sich, wenn auch nie ganz. Dieser Bericht Heinrich Bölls über das Erzählen, das Schreiben selbst, der Bericht von einem simplen und zugleich unabsehbar komplizierten Vorgang, − er sagt mir, mit den einfachen Bildern aus seinem Alltag, die sich mir eingeprägt haben, mehr über den Menschen Heinrich Böll als die nobelste Aufzählung all seiner Leistungen und Verdienste. Hier ist für mich der Berührungspunkt, der mir im Gegenspiel den Einblick überhaupt erst ermöglicht oder jedenfalls stark erweitert hat in all das, was Böll zu erzählen und zu sagen hatte von sich und den Leuten, unter denen er sein Leben verbracht hat, von den Hoffnungen und der Ausweglosigkeit eines Lebens, wie sie die Heimkehrer und Trümmerbewohner der frühen Nachkriegsjahre, der Clown Schnier, die Leni aus ‚Gruppenbild mit Dame‘, die junge Aufwärterin Katharina Blum und so viele andere in Bölls Werk erfahren haben. Glaube, Liebe, Treue — und die Menschen mokieren sich und begreifen doch, um wieder zu verdrängen, worauf es ankommt: auf das Leben selbst, ein Leben, von dem die Menschen immer weiter zu entfernen, dem sie zu entfremden das Stigma moderner Gesellschaft zu sein scheint. Dagegen aufzubegehren, hat Heinrich Böll bis zu seinem Todestag nicht nachgelassen.

Es ist schlichtes Eigeninteresse nicht zuletzt, was uns trauern läßt um Heinrich Böll. Er hatte uns etwas zu sagen, jedem einzeln und jedermann. Für jeden einzelnen und jedermann ist sein Tod ein Verlust.

Gábor Görgey

Gefühlvolle Reise

Erinnerung an Tage mit Heinrich Böll

In der Mitte der sechziger Jahre, als meine Tochter geboren wurde, habe ich meine erste Filmkamera gekauft, um die Lebensstationen von Anna festzuhalten. Auch heute besitze ich noch eine Kamera, aber sie ist schon lange außer Dienst. Bis ich zu diesem Verzicht kam, bannte ich, neben Familie und Reisen, manche ungewöhnlichen Besucher auf Celluloid. Zum Beispiel ist Robert Graves auf einem Filmstreifen zu sehen, wie er mich bei einem seiner ungarischen Aufenthalte in unserem Ferienhaus in Szigliget besucht und mit schneeweiß flatterndem Haar die Treppe nicht hochkommt wie ein ordentlicher Bürger, sondern auf dem Sims balanciert – ein von Energie überschäumender Flegel. So auch Enzensberger, der auf der Terrasse Mädchen umarmt. William Jay Smith, der mit einem genüßlichen Grinsen sein Glas festhält und nebenbei, wie immer, in einen politischen Streit mit seiner Frau verfällt. Auch Tibor Dery, mit schön geschnittenem Greisenkopf, in bedächtigem Gehen. Und, darauf will ich hinaus, Heinrich Böll, mit seiner Frau Annemarie.

Als die Bölls im Frühjahr 1971 in Ungarn waren, ergab es sich, daß ich sie begleiten durfte. So kam es auch zu einem Ausflug um den Plattensee. Es war Mai. Zu dieser Zeit ist die Seenlandschaft noch mädchenhaft, mit jungfräulicher Ruhe erwartet sie die Gewalt der Touristenmassen im Sommer. Genauer: Sie erwartet gar nichts, als ob sie davon nichts wissen würde. Seit dem Jahr zuvor hat sie es vergessen. Gerade diese jungfräuliche Unwissenheit ist ihr Zauber.

Vielleicht hat Böll diesen sanften, mädchenhaften Reiz auf dem längst vergangenen Ausflug am meisten genossen. Ich habe ihn mehrmals ertappt, wie ihn diese Schönheit fesselte, er versank in das Blond des matt glänzenden Wasserspiegels, er vergaß uns, seine Begleiter. Einige solcher Augenblicke kamen auf das Celluloid, weil ich als begeisterter Filmer mich wie ein Blutegel festgebissen hatte, wie ein Profi. Darüber schämte ich mich schon während des Filmens, aber ich habe die Verlegenheit unterdrückt, weil ich wußte, daß ich mich meiner verhaltenen Aggressivität später freuen würde. Und dieses „später" ist jetzt gekommen! Obwohl damals niemand beim Anblick des dynamischen, gutgelaunten Böll vermuten konnte, daß schon nach 15 Jahren mein kurzer Amateurfilm ein bescheidenes Dokument von einem Toten sein wird.

Niemand konnte das ahnen, weil Böll damals noch vor den nervenaufreibenden, lebensverzehrenden Schlachten stand. Nicht daß er bis dahin nicht seine Schlachten geschlagen hätte mit der Welt, mit seinen Gegnern, mit Deutschland, mit sich selbst. Aber die Auseinandersetzungen und die Hetze der siebziger Jahre standen ihm in seinem menschlichen und schriftstellerischen Leben erst bevor. Sie lasteten auf seinem Gemüt, beeinflußten seine Körperhaltung, seine Gesichtszüge – eine Qual, bei der man mit Respekt erkannte, daß er sich nicht friedlich verschanzen wollte, sondern ohne Schonung seiner selbst kämpfte für das Wahre in einer unwahren Welt.

(Diese Qual ist auf dem Film von 1971 noch nicht zu erkennen. Obwohl er auch hier nicht als kerngesund bezeichnet werden kann, weil er schon damals eine fortschreitende Diabetes hatte – aber sein Gesicht war wie gepolstert und heiter. Zerstörerische Falten gruben sich später in diese Polster. Sie dienten als Stoff des Verfalls wie bei einer dramatischen Skulptur, so denke ich heute. Als ich jetzt den Film aufs neue abspielte, wirkte diese Heiterkeit am nachhaltigsten auf mich, so sehr hatte sich die müde, gequälte Stimme und das Gesicht Bölls in den letzten zehn Jahren in mir festgesetzt. Mein Gott, dachte ich, so sah er einmal aus, so schlicht, heiter, jovial?)

Wir machten uns mit zwei Autos auf den Weg, weil sich uns ein Ehepaar angeschlossen hatte, ein Dichter und eine Malerin: Istvan Vas und Prisoka Szanto. Wir fuhren direkt nach Szigliget.

Warum ich Szigliget, ein abgelegenes Dorf mit Weinbergen, gewählt habe? Weil ich nicht mit der Touristenattraktion des Plattensees beginnen wollte. Und damals existierte noch unser Tusculum in Szigliget, auf dem Grat des Soponya-Hügels, ein aus rissigen Steinen und mit Schilfdach auf einem hundert Jahre alten Keller erbautes kleines Haus. Davor reifte eine Sorte Riesling in steigenden Reihen, Nußbäume im Mandelgarten vollendeten die mediterrane Stimmung. Nirgendwo auf der Welt habe ich seitdem eine Landschaft von so sanfter Schönheit gesehen. Ich dachte, das ist etwas für Böll, das wird er genießen. Und dort kann auch meine Frau das Mittagessen bereiten, dies dürfte behaglicher sein als eine Einladung in irgendein feudales Restaurant. So reisten in den Kofferräumen der Wagen Körbe, Schüsseln, Pfannen mit, die in unserer Budapester Wohnung vorbereiteten „Materialien" des Mahls.

Hier beginnen die ersten Bilder des Films, beim Essen. Die Gesellschaft geht im Gänsemarsch in den Mandelgarten. Als erste natürlich unsere Tochter Anna, eine wendige Cicerone, gleich danach Böll, in seiner bekannten Aufmachung: grauer Anzug, helles Hemd, ohne Krawatte. Er schlendert, seine Hände hinter dem Rücken – er ging gerne so –, im Hintergrund erhebt sich der malerische Festungswall von Szigliget mit romantisch bröckelnden Ruinen. (Von diesen Ruinen erzählen wir mit Istvan Vas natürlich, daß nicht die Türken die meisten ungarischen Festungen zugrunde richteten, sondern daß nach der Vertreibung der Türken die Habsburger sie sprengten, schön systematisch und der Reihe nach, in der Friedenszeit, damit die ständig rebellierenden Ungarn keine uneinnehmbare Festungskette vorfänden. Aber so einen Ausländer gibt es nicht, der – wenn er einmal in unsere Hände fällt – der Beschreibung der Schicksalsprüfungen unserer unglücklichen heroischen Geschichte entrinnen könnte. Große Aufmerksamkeit verratend, duldete Böll die eingeschmuggelten Blitzvorträge.)

Nach Böll spazierte Frau Annemarie ins Bild, dann kommen die anderen. Die Gesellschaft bleibt für einen Augenblick vor dem alten Keller stehen, Böll zeigt auf die Kellertür und sagt etwas zu Vas. Gelächter. (Möglicherweise hat er gefragt, ob das hier nur Zierwerk sei oder ob dahinter Wein gelagert ist. Nicht lange danach standen wir schon im Keller – ich schöpfte Wein aus dem ältesten Faß; aus dem Heber füllte ich ihn in die Gläser. Während ich wartete, solange sie tranken, wurden meine Fingerspitzen am Ende des Heberrohrs taub – aber der trockene, kalte Riesling hat Böll sehr geschmeckt. Er war ein Fachmann. Er hat immer stolz seine rheinische Provinzialität hervorgehoben und betont. Sein Lieblingsspruch war, nicht nur bei Weinen: „Typisch rheinisch!")

Danach sieht man, wie sie die Treppe hinauf zur Terrasse schlendern. Böll blickt sich um, für einen Augenblick lacht er in die Kamera. Sein ganzes Wesen ist voll Heiterkeit. (Wie ich jetzt dieses heitere Gesicht sehe, fällt mir eine spätere Begegnung mit ihm ein, Anfang der achtziger Jahre, auf der kölnischen Interlit-Konferenz, als er schon krank war, müde, abgehetzt. Als wir uns auf einem großen Verlagsempfang unterhielten und sich gerade eine Fernsehkamera auf uns richtete, hat er plötzlich mit verblüffender Wendung, langsam und betont, zweimal zu mir gesagt: „Wissen Sie, ich bin seelisch krank." Inzwischen ratterte die Kamera. Die Szene kam am Abend in der Tagesschau. Keiner hat gewußt, welcher verzweifelte Satz in der intellektuell mondänen Umgebung erklang.)

Schnitt. Wir sitzen beim Mittagessen. Genauer: Es muß schon nach dem Essen gewesen sein, weil jeder schlaff wirkt. Meine Frau lächelt, gewiß hat sie Anerkennungen eingeheimst. Böll lehnt sich bequem zurück, pafft, spricht. Ab und zu nimmt man etwas von einer Platte. Durch die offene Tür strömt die strahlende Maisonne.

Die nächste Szene spielt auf der Soponya-Spitze, dem Treffpunkt der Schmetterlinge. Böll, Frau Annemarie und Piroska Szanto sitzen im hohen Gras, zwischen Wiesenblumen. Istvan Vas erklärt etwas mit breiten Gesten (meiner Meinung nach wieder von der ungarischen Vergangenheit). Der Anblick des Plattensees von dieser Spitze aus ist monumental. Die Gäste ergötzen sich daran, Böll setzt das in meinem Zimmer mit großer Freude entdeckte und gleich um den Hals gehängte Fernglas an die Augen. Die Kamera schwenkt über die Gesellschaft. Die Gesichter blinzeln im Sonnenlicht, angesichts des nicht Pascalschen Schrecklichen, sondern des sanften Unendlichen. Dann schlendert die Gruppe vom Hügel zurück zum Haus, die Kamera zeigt sie von hinten, aber Böll dreht sich um, als ungeschickter Kameramann habe ich gewiß gesagt, daß er sich umdrehen soll: Er lächelt − wieder dieses unglaubliche Lächeln! − und gut gelaunt winkt er den anderen, daß sie sich ebenfalls umdrehen sollen. Allgemeines Winken. Der Kameramann ist glücklich, aber das ist nicht auf dem Film. Schnitt.

Die nächste Szene spielt wahrscheinlich unmittelbar am Ufer, auf dem menschenleeren Strand. Wir sagen Böll, daß einer, der im Mai oder Oktober im Plattensee badet, nur ein Deutscher sein kann. Daraufhin zieht er sich unvermittelt aus und schwimmt in den See, ziemlich weit. Wir schauen fröstelnd zu. Frau Annemarie steht auf dem Badesteg, angstvoll sieht sie dem immer ferner schwankenden Kopf ihres Mannes nach. Dann nähert sich die schwimmende Figur wieder, einige Meter vor dem Ufer bleibt Böll stehen, weil das Wasser flach ist, aber statt sich nach der Heldentat zu beeilen, um sich rasch zu trocknen, pantscht er noch ein wenig. Er genießt unser Schaudern.

Dann sind wir in Balatonudvari, im „Friedhof der Herzen". Zwischen Nelken und Kresse schlummern die herzförmigen Grabsteine. Wir erzählen die Legende vom tragischen Ende einer großen romantischen Liebe: Zu Anfang des vorigen Jahrhunderts hat ein junger Mann den ersten herzförmigen Grabstein für seine tote Geliebte gemeißelt. Das hat den Bewohnern so gut gefallen, daß von da an jeder Verstorbene ein Herz auf das Grab bekam. Die Bölls trennen sich schwer von der Umgebung mit ihrer einzigartigen Stimmung. Da tappen sie in dem poetischen Durcheinander der Steinherzen herum. Das Celluloid hält es fest.   Als nächstes kommt Tihany. Auf dem Film schlendert die Gesellschaft, in eine Unterhaltung vertieft, zur Abtei hinauf. Vor der Kirche bleibt die Gruppe stehen, Böll fragt etwas. (Ich erinnere mich — das ist nicht auf dem Film —, daß wir sie auch in die Krypta hinabgeführt haben. Das war natürlich eine gute Gelegenheit für Istvan Vas, unseren Gästen wieder die frühmittelalterliche Geschichte der zerstreuten Gebeine der ersten ungarischen Könige aus der Arpadendynastie zu erzählen. Böll hat auch jetzt wieder geduldig zugehört, er schüttelte den Kopf, wahrscheinlich um uns zu beweisen, daß wir die erwartete Wirkung erreicht haben.) Nach dem Besuch der Kirche sind wieder alle gemeinsam auf dem Bild. Die Gäste lehnen sich an die Brüstung, schauen auf den See und ergötzen sich an dessen Anblick. Dann sehen die Bölls den Turm hinauf. Piroska Szanto, die Malerin, erklärt etwas, zuerst deutet sie auf den Turm, dann auf ihren Kopf, als ob sie eine Mütze aufsetzte. Gewohnheitsgemäß sagt sie wahrscheinlich etwas sehr Bildliches, sicherlich vom Verhältnis des Turms zur Kuppel. Die Gesellschaft wandert los. Böll wendet sich noch einmal zurück, als ob er etwas fixieren wolle oder als ob er etwas vergessen habe. Er zieht an seiner Zigarette. Versinkt in seine Gedanken. Vielleicht sucht er die verschwundene Zeit. Der Film ist zu Ende.

Aber nur der Film aus Celluloid. Mein innerer Film bewahrt noch viele Szenen und Unterhaltungen auf. Beim Rückweg nach Budapest eine Menge von Fragen über das Land, unser Leben, die persönlichen Angelegenheiten der Leute. Er hat auch seine eigenen Erinnerungen eingestreut, er war doch ein leidenschaftlicher Erzähler. Jeder Ausflug in Ungarn war so etwas wie eine „sentimental journey", eine gefühlvolle Reise, für ihn. Als Soldat war er hier, unfreiwilliger Durchmarschierer im letzten Kriegsjahr — Erinnerungsbilder und Szenen hat er aufbewahrt von den Landschaften und Dörfern der Theiß-Gegend. Er hatte dieses Land gern.

Auch später hielten wir die Verbindung, wir trafen uns mehrmals, aber nur noch im Ausland, er schickte Bücher, schickte Nachrichten, rief mich an. Er war stets gegenwärtig in meinem Leben. Aber am meisten war er präsent mit einem seiner Sätze, ohne daß er davon wußte. Ich wollte es ihm immer erzählen, und ich habe es immer versäumt. Während seines Besuches 1971, als dieser kurze Amateurfilm gedreht wurde, hat das Madach-Theater mein Bühnenstück „Haie im Garten" gespielt. Vielleicht das absurdeste meiner absurden Periode. Seine Ausgefallenheit hat das damals noch wenig zugängliche Publikum kaum beeindruckt, und die Kritiker verrissen es mit Begeisterung. Es ist mir keineswegs eingefallen, Böll einzuladen, aber er wußte von der Sache und bestand darauf, die Vorstellung anzusehen. Ich habe ihm von der

Handlung so viel wie möglich erzählt und ihn gewarnt, daß es — vornehm gesagt — kein Erfolg sei. Als wir in den Zuschauerraum kamen und sich das Publikum ziemlich verlor, rief Böll, der den noch spärlicheren Besuch der westlichen Avantgarde-Theater kannte, ermunternd: „Kein Erfolg? Da strömen doch die Leute!"

Seitdem ist das in unserer Familie ein Stichwort. Wenn etwas schiefgeht, wenn etwas nicht in Ordnung ist, wird Böll zitiert:„Kopf hoch! Da strömen doch die Leute!" Und weil es immer reichlich Unbill gibt, ist Böll ein häufiger „Gast" bei uns. Neben seinem lebendigen Werk ist auch das ein Stück Unsterblichkeit. So bescheiden, wie es seine Art war.

Heinrich Vormweg

Heinrich Böll der Schriftsteller

Von Heinrich Böll haben sich die Menschen im Land und in den Ländern im Osten wie im Westen viele Bilder gemacht. Wir kennen sie, kennen die Bilder von Heinrich Böll dem Moralisten, dem Zeitkritiker, dem Störenfried, dem rheinischen Anarchisten; von Heinrich Böll dem Anwalt der kleinen Leute, dem Anwalt der Frauen, der Minderheiten, der Ausgebeuteten in der dritten Welt; von Heinrich Böll dem Verteidiger verfolgter Schriftsteller, Verteidiger der Menschenrechte und des Friedens. Und es gibt noch etliche dieser Bilder mehr. Wir kennen auch das Bild von Heinrich Böll als dem Gewissen der Nation, als einer moralischen Instanz, die im Lauf der Zeit zur bundesdeutschen Institution geworden sei.

Keines dieser vielen Bilder ist ganz und gar falsch, nicht einmal das Bild von Heinrich Böll als dem Gewissen der Nation, gegen das er selbst sich immer wieder mit Heftigkeit ebenso zur Wehr gesetzt hat wie gegen sein Bild als guter Mensch von Köln. All diesen Bildern ist zudem gemeinsam, daß der Erzähler, der Dichter, der Schriftsteller Böll in ihnen nie völlig ausgespart ist. Daß er ein Schriftsteller war, wurde und wird bei all diesen Deutungen vorausgesetzt. Nach und nach allerdings ist diese Voraussetzung immer pauschaler, immer vager geraten.

Vielleicht hing dies zusammen mit dem Nobelpreis für Literatur, der Heinrich Böll als bisher einzigem deutschen Schriftsteller der Nachkriegszeit 1972 verliehen worden ist. Nunmehr schien es einerseits vielen nicht mehr nötig zu sein, sich über Böll als Schriftsteller weiter Gedanken zu machen, war doch sein literarischer Rang damit sozusagen von höchster Stelle international abgesegnet und konnte als schlichtes Faktum vorausgesetzt und auch verwertet werden. Andererseits wurde von diesem Zeitpunkt an die literarische Kritik am Schriftsteller Heinrich Böll ganz unverkennbar schärfer.

Es gab da offensichtlich die Erwartung, der Nobelpreisträger werde nunmehr als Klassiker schon zu Lebzeiten nur noch abgerundete, ausgewogene Meisterwerke eines sozial interessierten psychologischen Realismus hervorbringen. Diese Erwartung hat Böll gründlich enttäuscht. Er nutzte den bestätigten Weltruhm, um sich erzählend wie auch sonst nur noch offener, noch ungeschützter, noch ruppiger als zuvor all dem zu konfrontieren, was er erfuhr als Gefährdung der

45

Menschlichkeit in der Gesellschaft, in der er lebte, und in anderen Ländern auch. Der Nobelpreisträger widerstand rücksichtslos den vermeintlich höheren Kunstvorstellungen, wie er diesen immer widerstanden hatte, und schrieb – zunächst einmal – ‚Die verlorene Ehre der Katharina Blum'. Ohne Rücksicht auf seine Würde trat er zur Verteidigung von Liebe, Treue, Glauben, zur Verteidigung der menschlichen Würde erzählend hervor auf jenem öffentlichen Kampfplatz, auf dem er mit Dreckschleudern rechnen mußte.

Aus ganz widersprüchlichen Gründen ist hiernach, ich wiederhole es, die Frage nach Heinrich Böll dem Schriftsteller im letzten Dutzend seiner Lebensjahre eher in den Hintergrund geraten gegenüber den oft hektischen und bösartigen Auseinandersetzungen um seine moralische und politische Position. Die Neigung auch mancher seiner Freunde, seinen Schriftstellerruhm nur noch als Bekräftigung dieser Position zu verstehen, und die Tendenz, unerfüllte, übrigens ziemlich fragwürdige Erwartungen angesichts der Erzählungen und Romane des Nobelpreisträgers zur Demontage seiner moralischen und politischen Position zu nutzen, sie spielten dabei verwirrend ineinander. Auch darunter hat Heinrich Böll gelitten. Für ihn selbst nämlich – daran ist Zweifel nicht erlaubt – war der gemeinsame Nenner, war die Begründung und Voraussetzung, auch die Rechtfertigung all seines Engagements das Schreiben. Zuallererst war er Schriftsteller. Er gewann seine Anschauung der menschlichen Wirklichkeit als Schriftsteller. Die Legitimation, öffentlich mitzureden, beruhte in seinen eigenen Augen auf seiner Existenz als Schriftsteller. Er warf sich in die Breschen als Schriftsteller. Schreiben hieß für ihn, die meist verborgene individuelle und soziale, die menschliche Wahrheit herauszufinden und anschaulich zu machen. Alles andere folgte daraus.

Wer Heinrich Böll liest, der spürt dies. Und spätestens jetzt, nach seinem allzu frühen Tod, ist es an der Zeit, es sich wieder ganz bewußt zu machen. Und zu fragen, was es denn war, das da von dem, was Heinrich Böll schrieb, immer wieder übergesprungen ist auf die Leser, was sie angerührt, bewegt, ergriffen und nicht wieder losgelassen hat, was sich so mühelos, obwohl Böll doch nur aus seiner nächsten Umwelt erzählte, übersetzt hat in so viele Sprachen – auch in die russische zum Beispiel.

Es wird nie glücken, diese Frage direkt zu beantworten. Ganz bestimmt aber hat jede Antwort zu tun damit, daß Heinrich Böll keineswegs erst seit ‚Katharina Blum' stets auch ein umstrittener Autor gewesen ist, umstritten gewesen ist als Schriftsteller. Er hat nämlich schon lange vor ‚Katharina Blum' und auch der besonders hart angefeindeten ‚Fürsorglichen Belagerung' nie in die Schubladen gepaßt, insbesondere nicht in die jeweils gängigen Schubladen der literarischen Wertung. Wer heute zum Beispiel die frühen Erzählungen Bölls über alles schätzt, die karge, zugreifende Direktheit seiner Erzählungen vom schrecklichen und sinnlosen Leben der Soldaten im Krieg und der Kriegsheimkehrer, vom Leben in den Trümmern, von der Not und Hilflosigkeit der kleinen Leute im trostlosen Nachkriegsalltag, — wer diese Erzählungen über alles schätzt, sollte sich auch klarmachen, daß sie keineswegs im literarischen Trend der Nachkriegsjahre lagen. Da dominierten sogenannter magischer Realismus, metaphysische Totalschau, dann lyrischer Höhenflug.

Es war unter anderem der Zwang, sich selbst als Schriftsteller zu verteidigen, der Böll in den 50er Jahren dazu brachte, auch Aufsätze und Kritiken zu schreiben und Reden zu halten; der Zwang, das erzählend als real und für wahr Erkannte zu rechtfertigen gegenüber den gängigen gesellschaftlichen Gemeinplätzen, die sich in der Restauration der 50er Jahre als gängige Selbstverständlichkeiten wieder verfestigen, gegenüber der Erneuerung des Besitzdenkens, der Unterordnung der Menschen und des Menschlichen in den Institutionen, der Remilitarisierung. Heinrich Böll verteidigte die Kriegs-, Heimkehrer- und Trümmerliteratur, und er verteidigte die Waschküchen, und als er zu spüren bekam, wie übermächtig die Institutionen waren, ob nun Staat, Militär oder Kirche, da schrieb er außer Aufsätzen, Kritiken und Reden auch noch Satiren. Erst später, erst als er sich handfest verfolgt fühlen mußte und als er schon krank war, sind ihm der Humor und der Spott vergangen.

Das erzählend als real und für wahr Erkannte —: ich wiederhole diese Formel. Ich kann hier keine Deutung von Heinrich Bölls vielbändigem Werk anbieten, ich kann sogar das Ausmaß der Umstrittenheit Bölls nur gerade eben andeuten. Sie ist an dieser Stelle auch nur ein Wegweiser. Und sie besagt übrigens nicht, Heinrich Böll habe keine Anreger und Vorbilder gehabt — sie lassen sich unschwer nennen —, er sei als Schriftsteller von vornherein ganz für sich allein gestanden, niemandem vergleichbar. Eher schon läßt sich sagen, er habe sich ohne weiteres in die dominierende Tradition des Erzählens gestellt, in die große Tradition eines vergleichsweise naiv-spontanen realistischen Erzählens. Dessen Methode hat er, erzählend, nicht grundsätzlich, sondern einzig am Stoff, innerhalb direkter realistischer Auseinandersetzung mit dem Stoff in Frage gestellt.

Weil die Radikalität und die Konsequenz dieses Infragestellens erst nach und nach deutlich geworden sind, war Heinrich Böll umstritten gerade auch in der innerliterarischen Perspektive jener Autoren und Kritiker, die radikale Veränderungen in der literarischen Produktion selbst für unerläßlich hielten. Arno Schmidt z. B. hat ja schon in den 50er Jahren alles darangesetzt, die Weichen für die Schreibvorgänge umzustellen. Uwe Johnson riskierte schon Ende der 50er Jahre mit den ‚Mutmaßungen über Jakob' eine kontroverse Schreibweise, um an die in ihren Sprachregelungen verklebte und erstarrte Realität wieder heranzukommen. Günter Grass zeigte schon damals in der ‚Blechtrommel', daß eine rabiate Veränderung der Perspektive fähig war, all das Geschehene aus der Totalen in ganz anderem als dem gewohnten Licht zu zeigen. Folgte die experimentelle Literatur, die – von Peter Weiss bis Helmut Heißenbüttel – in den 60er Jahren viele Literaturvorstellungen umkehrte, konterkarierte und verstärkte unter anderem durch die Wiederentdeckung Bertolt Brechts.

Auch die Prozesse, die, als Heinrich Böll schrieb, abgelaufen sind in der Literatur der Bundesrepublik Deutschland, auf die auch Bölls Werk zu beziehen ist, sie lassen sich hier nur vage andeuten. Es war jedenfalls immer wieder ein leichtes, einen Standpunkt zu finden, von dem aus Heinrich Bölls Erzählen sich als fragwürdig darstellen ließ. Dabei hat Böll – es wurde vor allem in seinem ‚Gruppenbild mit Dame' deutlich – die innerliterarischen Veränderungen als Erzähler durchaus beachtet und sich von ihnen auch beeindrucken lassen. Aber nur bis zu einem gewissen Grade, nur soweit sie ihn in seiner erzählerischen Identität bereicherten. Er unterschied außerdem stets zwischen den Veränderungen selbst und den literarischen Trends, den aufgeblasenen Verallgemeinerungen, die – so wollte es meist der Literaturbetrieb – aus ihnen abgeleitet wurden und, statt sie zu verdeutlichen, die Konfrontation mit Realität immer wieder neu verschleierten. Und Realität blieb für Heinrich Böll jederzeit die soziale Realität, nicht als ein Ziel-oder Idealbild, sondern als die faktische Lebenswirklichkeit, als das Konglomerat von Vorurteilen und Abhängigkeiten, permanent und dubios beeinflußt durch die sogenannte Realpolitik und die Medien, in dem jedermann täglich umgetrieben wurde, ein Konglomerat, in dem die Menschlichkeit der einzelnen immer schwerer noch zu sich selbst fand. Diese Menschlichkeit aber, sie war für Böll das einzige, worum es sich lohnte.

Erwähnenswert bleibt, daß nach Erscheinen des Romans ‚Fürsorgliche Belagerung', als auch manche ehemalige Bewunderer Bölls unter den Kritikern nur noch Verrisse zustande brachten, unerwarteter Zuspruch kam gerade aus jenem literarischen Lager, das Böll am fernsten zu sein schien – von Helmut Heißenbüttel zum Beispiel. Ein Fingerzeig worauf? Resultierte der Zuspruch aus der Beobachtung, daß all die Mängel und Fehler, die dem traditionsgebundenen großen Erzähler da angekreidet wurden, in Wirklichkeit Signale waren für eine noch unbestimmte und späte, doch weitreichende Entdeckung? Für die fatale Entdeckung nämlich, daß die menschliche Realität sich dem traditionellen Realismus jedenfalls als Ganzes immer deutlicher entzog? Heinrich Bölls letztes Werk, der Roman ‚Frauen vor Flußlandschaft‘, dies tieftraurige, unrealistische und gerade darin Realität anprangernde Schattenspiel von einer schon ruinierten gesellschaftlichen Ordnung, hat den Fragen noch einige mehr hinzugefügt.

Dabei ist trotz allem eines unzweifelhaft: die Kontinuität im Erzählen Heinrich Bölls. Das erzählend als real und für wahr Erkannte – noch einmal diese Formel –, es blieb für Böll das Medium aller Orientierung, auch wenn die Erscheinungen sich verzerrten in Irrealität und Absurdität, wenn jedes moralische und humanistische Engagement vor ihnen scheinbar obsolet wurde, zur scheinbar veralteten Wunschhaltung aus scheinbar überholter Gesinnung, auf der Böll gleichwohl bestand. Und damit die anderen Fragen: Was finden die noch ungezählten, doch jedenfalls erstaunlich zahlreichen Leser in Heinrich Bölls letztem Roman? Was haben sie gefunden in seinen vielen Erzählungen und Romanen der letzten vierzig Jahre und für sich bewahrt?

Was immer Heinrich Böll zu erzählen wußte – immer war und blieb da ein Plus, ein Mehr, das sich mit den herkömmlichen Wertungen nicht fassen ließ, weder mit jenen, die jeweils gerade in der Literaturszene im Schwange waren, noch etwa mit jenen der Amtskirche, für die der Christ Böll stets eine Herausforderung war, noch mit jenen des politischen Establishments, in dessen Kreise der Demokrat Böll immer wieder störend einbrach. Millionen Leser aber haben dieses Plus, dieses Mehr früh schon gespürt, erkannt, wenn es sich auch nicht definieren ließ. Es packte sie, und manche machte es früh schon zu Gegnern. Plötzlich wußten sie mehr von dem, was um sie her und mit ihnen geschah. Plötzlich ahnten sie, daß die Menschen, daß sie selbst noch etwas anderes waren als Objekte für Versorgung, Verwaltung oder Umsatzstrategien. Daß es im Leben um etwas ging, das ihnen allzu oft systematisch verheimlicht wurde. Glaube, Liebe, Treue – diese Wörter kommen dem Unbekannten nahe, nach dem der Erzähler Heinrich Böll immer wieder in seinem Alltag und im Alltag jedermanns um ihn her auf die Suche gegangen ist, das er zu finden hoffte, das verloren schien.

Dieses undefinierte Mehr, das auch Heinrich Böll selbst nie fassen konnte als es selbst, das sein Impuls und Antrieb blieb und das unerreichte Ziel seiner Suche, es hat Bölls Erzählungen strukturiert und unverwechselbar werden lassen, von seinen frühen Kriegs- und Heimkehrergeschichten über seine Aussteigergeschichten bis hin zu seinen späten Geschichten von der Hilf- und Schutzlosigkeit einzelner Menschen angesichts der immer mächtiger gewordenen, wie selbsttätig funktionierenden gesellschaftlichen Apparate. Dies undefinierte Mehr, es hatte schon immer den Namen Menschlichkeit. Er sagt alles und nichts. Der Erzähler Böll war für dieses Jahrhundert einer jener Schriftsteller, die ihm Inhalt gegeben haben, gegen alle Moden und Strömungen und zuletzt gegen all seine eigene Verzweiflung.

Schreibend, erzählend war Heinrich Böll fähig, sich der undurchschauten und widerspruchsvollen menschlichen Realität, in der wir alle leben, so unmittelbar und so voller Erwartung zu konfrontieren, daß sie von ihrer bitteren Wahrheit, von ihrer Ausweglosigkeit, aber auch von der immer nur spärlichen Hoffnung in ihr faßlich und fordernd etwas preisgab, das bis dahin unerkannt geblieben war. Dies war, auf die einfachste Formel gebracht, sein Talent, sein Genie, aber auch der Grund seiner unvergleichlichen Mitmenschlichkeit. Er war der Aufheller, er brachte Licht in die Verhältnisse, so daß sie plötzlich durchschaubar waren und die Menschen in ihnen in all ihren Nöten erkennbar wurden als sie selbst. Und daran erkannten sich die Leser, wurde ihnen faßlich, wie es stand auch mit ihnen selbst.

Heinrich Bölls Talent, sein Genie war, aus der unmittelbaren und komplexen persönlichen Konfrontation vom Leben jedermann so zu erzählen, daß dieses sich mit seinen Deformationen ebenso wie mit seinen innersten Wünschen entschleierte. Solchen Anspruch haben schon immer zahllose Erzähler erhoben, aber nur ganz selten wird er eingelöst. Es gab wohl niemanden, der ihn zu den Zeiten der Bundesrepublik so selbstverständlich und eindringlich erfüllt hat wie Heinrich Böll. Alle allgemeineren Vorstellungen von Literatur und Kunst, alle Reflexionen über sie hat er diesem Anspruch untergeordnet. Sein Talent, sein Genie war − und das läßt sich weder rationalisieren noch instrumentalisieren −, daß er in der mühevollen Spontaneität seines Erzählens menschliche Wirklichkeit tatsächlich erkannt hat und zu erkennen gab.

Gerade dies, es ist ein gültiger Ausweis für Erzähl*kunst*. Andererseits konnte gerade dies vielen nicht gefallen, zumal da Böll argumentierend und redend, anklagend und manchmal auch schimpfend aus der Aufhellung Folgerungen zog. Womit wir wieder angelangt wären bei den vielen Bildern, die die Menschen sich von Heinrich Böll gemacht haben, beim Moralisten und Störenfried und Anarchisten ebenso wie beim Anwalt der kleinen Leute oder der Minderheiten. In Bölls eigener Überzeugung, doch wohl auch objektiv hatten sie ihren Grund und fanden seine Herausforderungen ihr Recht darin, daß er ein Schriftsteller war. Erzählend hatte er die Beweise erbracht für seine in den Alltag hineindrängenden Argumente. Seine Leser wußten es.

Es wird noch einige Zeit dauern, bis dies alles zeit-und literaturgeschichtlich verfügbar gemacht sein wird, bis die scheinbaren Widersprüche in Leben und Werk des Schriftstellers Heinrich Böll, die Widersprüchlichkeiten seiner Wirkung sich zu handlichen Aussagen vereinfacht haben. Genau dies allerdings ist andererseits überhaupt nicht zu wünschen. Diese scheinbare Widersprüchlichkeit, sie gerade gibt ja Bölls Werk die provozierende Virulenz. In seinen Wörtern, seinen Büchern bleibt sie erhalten. Wir brauchen sie, mehr denn je. Durch sie gerade lebt der Schriftsteller Heinrich Böll weiter, mit all den Bildern, die die Menschen sich von ihm gemacht haben.

Warnung vor dem Dichter

Die Bundeszentrale für politische Bildung vertreibt ein Buch, in dem deutsche Schriftsteller als Wegbereiter der Gewalt angeschwärzt werden.

Von Otto Köhler

Das Neue Polizeiarchiv, herausgegeben unter Mitwirkung leitender Fachkräfte der Polizei und Justitz, gab im März 1987 bekannt: „Bei vielen Bürgern und Gruppen hat in der Bundesrepublik Deutschland die Neigung zugenommen, Gewalt anzuwenden, um den eigenen Willen durchzusetzen. Gleichzeitig erfuhr der Anarchismus eine starke Belebung."

Das *Neue Polizeiarchiv* ermittelte, woher das kommt: „Aufbauend auf die ‚Gruppe 47', die den literarischen Markt beherrscht, wurde die Weltsicht zeitgenössischer deutscher Schriftsteller durch die Vermittlung der Massenmedien für viele Bürger zur ‚wahren Wirklichkeit' . . . Schriftsteller haben Werte und Normen zerstört und so wichtige Dämme unterhöhlt."

Diese polizeiamtlichen Ermittlungen decken sich mit den Erkenntnissen führender gesellschaftlicher Organisationen. Sogar zwischen CDU und CSU herrscht ungewohnte Einigkeit. Die *Union-Post — Zeitschrift für die CSU —* hat herausgefunden, daß bei vielen Bürgern und Gruppen obengenannte Neigungen zugenommen und Anarchismus starke Belebung erfahren habe. *CDU-Intern*, die „offiziellen Mitteilungen des Kreisverbandes Esslingen" ergänzen in wörtlicher Übereinstimmung mit den Parteifeinden von der CSU: „Zeitgenössische Schriftsteller haben den Boden bereitet für Anarchismus und Gewalt. Den von Anarchisten der Feder und Revolutionären der Mattscheibe vorgezeichneten Weg haben die Revolutionäre der Straße weiter beschritten." Sogar über das Ergebnis dieser Bodenbearbeitung sind sich CDU und CSU einig: „Die steigende Flut hat zahlreiche Menschen in den Strudel von Anarchismus, Gewalt und Terrorismus hineingerissen."

Der Landesverband der Baden-Württembergischen Industrie e. V. begnügt sich mit der sachlichen Mitteilung: „‚Zeitgenössische deutsche

Schriftsteller als Wegbereiter für Anarchismus und Gewalt' hat der Leiter der Presseabteilung unserer Mitgliedsfirma Richard Hirschmann, Dr. Lothar Ulsamer, sein Buch betitelt." Kurz, Ulsamer, seit 1976 Lehrbeauftragter der Fachhochschule der Polizei in Baden-Württemberg, Mitglied im CDU-Kreisverband Esslingen, seit 1981 Leiter der Stabsabteilung „Publizistik, Presse und Kultur" in der Antennenfirma Hirschmann, hat die alte Dissertation, für die ihm ein gnädiger Professor den Doktor-Titel vermittelte, hervorgeholt und Anfang letzten Jahres bei einem Kleinverlag (Deugro, Im Fritzen 16, Esslingen. 268 Seiten, 24 Mark) drucken lassen. Das wär's.

Das wär's gewesen, gäbe es in unserem Land nicht die bisher hochangesehene Bundeszentrale für politische Bildung, die formal dem Bundesinnenminister Friedrich Zimmermann untersteht. Nachdem er mehrmals am Beamtenrecht gescheitert war mit dem Versuch, den sozialdemokratischen Direktor Franklin Schultheiß aus seinem Amt zu vertreiben, stieß sein Parteifreund, der Chef der bayrischen Staatskanzlei Edmund Stoiber nach. Mit Hilfe von zwei Mitarbeitern des *Münchner Merkur* ließ er eine Studienreise nach Israel auf die politische Zuverlässigkeit ihrer Teilnehmer ausspionieren. Der Schuß gegen den „berüchtigten Polit-Tourismus der Genossen" ging nach hinten los. Doch die Bundeszentrale ließ sich einschüchtern. Auf einer „Pilottagung" in Bielefeld zum vierzigsten Gründungsjahr der Bundesrepublik brachten ausgewählte Historiker, unter ihnen der langjährige Kanzlerberater Michael Stürmer, rund hundert Geschichtslehrern bei, was sie in die Schulen hinaustragen sollen. Historiker Werner Link nannte es eine „beachtenswerte Leistung", daß „die Nachrüstung durchgezogen" wurde und diffamierte die Friedensbewegung als eine „sogenannte". Zugleich erschien in der Liste der Bücher, die an Multiplikatoren wie Lehrer oder Journalisten abgegeben werden, Ulsamers Pamphlet unter den Schriften, die der politischen Bildung dienen sollen. In dieser Reihe gab es bisher alles: von Schriften der Konrad-Adenauer-Stiftung über Selbstdarstellung von Politikern wie Franz Josef Strauß, Alfred Dregger oder Hans Koschnick bis zu hochwissenschaftlichen Werken wie den Sammelband von Bracher/Funke/Jacobsen über die „Nationalsozialistische Diktatur 1933–1945".

So etwas aber, wie Ulsamers Traktat gegen die bundesdeutschen Schriftsteller gab es bisher nicht — die Bundeszentrale hatte 500 Exemplare aufgekauft und damit der Broschüre schon im Erscheinungsjahr zu einer zweiten Auflage verholfen.

Ulsamer ermittelte in seiner bundesamtlich verbreiteten Anklageschrift gegen die Liberalen, daß Bölls Bild von der Bundesrepublik „nicht mit dem zahlreicher Wissenschaftler, Statistiker usw. übereinstimmt". Böll befindet sich, erkannte Ulsamer, auf einem anderen Niveau: „Wer in der Buch- und noch mehr in der Film- und Fernsehfassung von ‚Katharina Blum' die ‚konkrete Wirklichkeit in unserem Staat' sieht, der kann ohne weiteres auch die USA mit dem ‚Jerry-Cotton-Romanen' . . . gleichsetzen." Einmal ist es schon falsch, daß Böll − wie zahlreiche Literaten − die *Bild*-Zeitung „in Bausch und Bogen verworfen" hat. Zum anderen tut Katharina Blum nicht recht, „wenn sie verallgemeinernd sagt: ‚. . . ich weiß ja jetzt, wie diese Schweine arbeiten.'" Denn: „Andere Zeitungen, die sich einer konkreten Berichterstattung befleißigen, werden nur kurz erwähnt; mit keinem Wort wird die Ausrichtung von Funk und Fernsehen dargestellt." Katharina Blum muß also, bevor sie wieder zur Pistole greift, um das Bild unseres Staates nicht zu verfälschen, die Berichterstattung von *taz* über *FR* bis *FAZ* reflektieren und dabei den ausgewogenen *tagesthemen*-Bericht in der Moderation von Ulrike Wolf − Literatur hinkt hinterher − nicht vergessen. Da wird ihr das Schießen vergehen. Ulsamer findet es ohnehin „problematisch", daß „für Bölls ‚positive' Akteure der Rechtsweg stets ausscheidet"

Auch Manieren, die Frau Pappritz selig vorschrieb, kennen sie nicht, wie Ulsamer anhand von „Ansichten eines Clowns" treffsicher belegt: „Charakteristisch für Hans Schnier sind nicht nur sein Hang zur totalen Kritik und zu falschen Schuldzuschreibungen, sondern auch die nachfolgenden Verhaltensweisen, die seine Einstellung zu Marie und zu seiner engeren und weiteren Umwelt kennzeichnen: Schnier spricht mit Marie nicht über ihre Probleme, läßt sie, während er in der Badewanne sitzt, die Koffer auspacken . . ."

Dafür wird Böll wohl die Verantwortung übernehmen müssen, da er es ja letztlich ist, der den Clown Schnier böswillig scheitern läßt. Ulsamer: „Der Clown hat alle Chancen, von Anfangserfolgen bis zur geschenkten Eigentumswohnung, doch sein Versagen hat er selbst verschuldet und ist nicht auf irgendwelche ‚bösen' gesellschaftlichen Mächte zurückzuführen. Die Erziehung in der Familie, das Erlebnis des Dritten Reiches sind gleichfalls keine ausschlaggebenden Gründe, denn der Bruder Schniers entwickelt sich ganz anders." Und dabei hat Ulsamer noch gar nicht Schniers Vater erwähnt, der Millionär ist. Böll hätte es also − gerade in unserer freiheitlich-demokratischen Grundordnung − überhaupt nicht nötig gehabt, den Sohn derart verkommen zu lassen.

Völlig gedankenlos tue Böll so, als habe es 1945 keinen Neubeginn gegeben, einen Anhänger Hitlers läßt er eine einflußreiche Position im Auswärtigen Amt einnehmen (– und es waren in Wahrheit mehr als ein Dutzend). Ulsamer dagegen: „Wie wenig Bölls Bild der Bundesrepublik mit dem führender Politiker übereinstimmt, zeigt auch ein Blick in den Verfassungsschutzbericht." Dort findet Ulsamer 1969: „Der organisierte Rechtsextremismus stellt wegen scharfer Ablehnung durch die ganz überwiegende Mehrheit der Bürger ... keine Gefahr für die Sicherheit in der Bundesrepublik dar."

Das ist zweifellos literarische Pionierarbeit, die endlich Schule machen muß. Ein Blick in die hessischen Staatsschutzakten von damals würde Georg Büchners gesammelte Werke auf ihren gewalttätigen Kern zusammenschmelzen lassen.

Böll verschließt sich den Notwendigkeiten der modernen Industriegesellschaft. „So will Schnier nicht am Morgen mit dem ‚Henkelmann' losziehen. Hinter dieser eher oberflächlichen Aussage verbirgt sich" – das entgeht Ulsamers wachem Auge nicht – „die Abneigung gegen jedwede Arbeit innerhalb einer Großorganisation." Und in „Ende einer Dienstfahrt" ist Böll nicht bereit, „einen Unterschied zwischen der Verteidigungsarmee Bundeswehr und der mißbrauchten Wehrmacht im Dritten Reich zu machen".

Was dazu kommt: Böll hat „Wallraff mehrfach in der Öffentlichkeit unterstützt, wenn dieser wegen polemischer und häufig unwahrer Behauptungen angegriffen wurde oder in die Schranken der Gerichte verwiesen werden sollte". Und „nicht vergessen werden darf", daß Böll „Wallraffs angeheirateter Onkel" war – was Ulsamer beweisen kann!

Wallraff selbst ist „nicht nur auf einem Auge blind", er betrachtet – mit seinem dritten Auge? – die Bundesrepublik „durch die Brille der Einseitigkeit", genau wie Böll und Enzensberger. Der hat „zentrale Meinungen", die „die Normen und Werte der Bundesrepublik Deutschland in Frage stellen". Beispiel: „Die Tarifpartner werden ständig heftig kritisiert." Und entgegen Grundgesetz Art. 97 leugnet Enzensberger „eine jahrhundertelange Entwicklung, die uns die Gewaltenteilung brachte" – über den Richter habe er nämlich fälschlicherweise geschrieben, er stehe „immer zugleich im Dienst des Staates".

Kurz, auch Enzensberger gehört zu den „führenden deutschen Literaten", deren „Dauerkritik" aus dem „internationalen Rahmen" fällt: „Böll und Handke lehnen Ordnung und Herrschaft in jeder Form ab, Wallraff, Enzensberger und Peter Schneider diskreditieren die Formen der Ordnung innerhalb westlicher Gesellschaften", nur zu Günter

Grass ist Ulsamer freundlicher: sein „Trommler" sei zwar — Oskarchen! — „auf sich selbst bezogen und nicht in die Gesellschaft integriert", aber immerhin, Grass habe im Gegensatz zu allen anderen den „Glauben an die Reformierbarkeit" der Bundesrepublik noch nicht verloren — das hat er nun davon. Die übrigen Dichter verstoßen gegen ihren intellektuellen Auftrag: „Gänzlich Untypisches wird ins Exemplarische hochgespielt", so beruft sich Ulsamer auf Hans Maier, „während die wirklichen ‚menschlichen Schicksale' (auf die Goethes Erzähler, am Wegrand sitzend, wartet) keiner Erwähnung für würdig befunden werden."

Das könnte denen so passen: Erzähler Heinrich Böll am Kölner Straßenrand sitzend — er wäre längst vom Abgas vergiftet, von den Autos überrollt worden, noch ehe ihn der Nobelpreis für Literatur erreicht hätte, zu dem die Bundeszentrale für politische Bildung mit Ulsamers Schmähschrift die bundesdeutsche Ausgewogenheit herstellt. Bölls Verleger Reinhart Neven Du Mont, der sich darüber zu Recht beklagte, ließ sich dabei auch zu der Bemerkung verleiten, es sei „schlimm genug, daß sich ein Verlag bereitfindet, solche dümmlichen und bösartigen Unterstellungen zu drucken."

Ei, da war sie plötzlich, die sonst immer nur von Böll und seinesgleichen unterstellte Kontinuität, die eigentlich durch den Verfassungsschutzbericht von 1969 klar widerlegt ist. „Als Autor einer kulturkritischen Veröffentlichung" verwahrt sich Ulsamer dagegen und fühlt sich „in fataler Weise an die schwärzeste Zeit Deutschlands erinnert, als mißliebige Bücher eingesammelt und öffentlich verbrannt wurden".

Ob er sich dieses unerlaubten Vergleiches wegen in der dritten Auflage seines Buches unter die „Wegbereiter für Anarchismus und Gewalt" aufnimmt?

Klaus Jeziorkowski

Das Unerklärliche

Zu Heinrich Bölls Essay „Die Juden von Drove"

Seit Jahrzehnten erlebe ich es an den Arbeiten Heinrich Bölls, daß sie persönliche Erinnerungen, die einem selbst verschüttet waren, in Bewegung setzen. Das ist eine ihrer ganz unnachahmlichen Qualitäten – daher rührend, daß Böll selbst seine Texte an sein Erinnern anschließt, sie zu Speichern notwendigen Gedenkens und Gedächtnisses ausbaut. Als ich jetzt seinen vor kurzem erschienenen Essay „Die Juden von Drove" las, setzten sich in mir ganze Erinnerungshalden in Bewegung – das Beste, was ein Text tun kann: in Bewegung bringen, auch und gerade, wenn es seelische und intellektuelle Erdrutsche dabei gibt. Mir kam beim Lesen mit klaren und vollen Bildern wieder vor Augen, daß ich von 1949 an für zwei, drei Jahre in einem Ort lebte, der fast Nachbardorf jenes Drove war, über das Böll schreibt. Das Dorf Füssenich, in das ich als Vierzehnjähriger mit meinen Eltern aus dem kam, was man damals „Ostzone" nannte, liegt nur acht Kilometer von Drove entfernt, zwischen beiden Orten nur das Bauerndorf Froitzheim. Wir waren damals fast die einzigen Evangelischen in einer ziemlich komplett katholischen Gegend, gehörten also zu den wenigen Exoten; außerdem waren wir „Flüchtlinge", mein Vater war noch arbeitslos am Anfang jener Jahre, die halb noch zu den „schlechten" gehörten, bevor das ökonomische Wunder uns alle mitnahm. Wir durften uns Brennholz aus dem Wald holen, bei großer Hitze Wurzelstöcke aus dem Boden jenes Waldes graben, der zwischen Froitzheim und Drove liegt – oder vielleicht lag? So verbindet sich mir diese Gegend um Drove mit ungeliebter Arbeit und mit Schweißausbrüchen, andererseits mit fast ewiger Sonne und Helle. Den Schatten, die Wolken und den Regen muß ich vergessen haben.

Damals bin ich mehrfach durch Drove gekommen, auch in den Jahren danach, ohne daß ich je den jüdischen Friedhof gesehen hätte, über den Heinrich Böll nun schreibt, der selbst seit ein paar Jahren in der Nähe von Drove wohnt.

Erlaufene Geschichte, erfahrenes Gedächtnis, erwanderte Erinnerung – aus all dem ersteht jenes humane, in den wahren menschlichen Maßen gehaltene Geschichtsmodell, mit dem Heinrich Böll noch einer fernsten Zukunft mehr von uns allen berichtet wird, als es den Zunfthistorikern mit ihrer Fixierung auf die Politokraten der großen Namen, die wie eh und je von der wahren Realität durch notorisch stupide Administrierapparate isoliert werden, jemals in ihren besten Arbeiten wird gelingen können.

In dem Essay über die Juden von Drove offenbart sich das Böllsche Geschichtsmodell – oder sollte man sagen: seine Geschichtsutopie – so rein und unverstellt, daß man es wie etwas Kostbares auf der Handfläche vorsichtig vor sich her tragen könnte, wie einen gefährdeten Schatz.

Das Darstellen von Geschichte ist bei Böll im Kern ein Erzählen von Geschichten – etwas Archaisches wie bei Homer und noch bei Herodot, freilich aus avanciertestem Zeitbewußtsein. Sagt man es etwas elaborierter, aber nicht klarer und richtiger: Bölls historiographisches Konzept ist narrativ.

Am Beispiel des Juden-Essays stellt sich das so dar: Er geht nach Drove, in jenes Dorf in der Voreifel, südlich von Düren, südlich der Linie Köln-Aachen; „in vielen Gesprächen mit Überlebenden" (102) hört er Geschichten aus der Zeit des Naziterrors, erzählt sie uns, den Nachlebenden weiter – freilich innerhalb eines, seines Geschichtskonzepts, in Relation gesetzt zu Erkenntnissen, die das Stöbern auch in Archiven und das Lesen von Dokumenten, das Anschauen von Fotos beisteuerten.

Der Anfang des Essays enthüllt das Verfahren: „Das Dorf Drove fiel uns bei unseren Spaziergängen durch die Dörfer der Nachbarschaft auf, weil wir dort einen Gedenkstein an der Stelle entdeckten, wo einmal eine Synagoge stand" (94). Erkundung von Geschichte auf Spaziergängen, die man von dort aus unternimmt, wo man zu Hause ist, nicht allein, sondern zu zweien oder mehreren, im Gespräch, ich stelle mir vor: Heinrich Böll und seine Frau.

Der Gedenkstein wird zum Stein des guten Anstoßes, nämlich nachzufragen – „später erfuhr ich": daß Karl Schröteler, ein Fabrikarbeiter, 1960 in einem Brief den Gemeinderat gedrängt hat, ein Erinnerungszeichen an die Existenz und die Leiden jüdischer Nachbarn zu schaffen, daß dem zugestimmt wurde nach einigem Hin und Her und 1971 der Gedenkstein aufgestellt wurde, der unter anderem seine Berechtigung als wahrer Gedenk-Stein darin offenbarte, daß er Böll auf eine weit führende Erinnerungsspur setzte, die ohne den Stein ungelesen geblieben wäre. – Daß es ein Arbeiter war, der hier humanes Gedenken öffentlich gemacht wissen wollte, gehört mit zu den sanft unerbittlichen Kor-

58

rekturen, die Böll notorisch an der offiziellen Monumentalgeschichte einklagt und anbringt, nach der nur Würden und Amtsträger, insgesamt „große Herren" etwas bewegen. Korrektur auch an dem festgefressenen Intellektuellenklischee, nach dem Arbeiter, überhaupt „einfache Leute" immer reaktionär und womöglich auch noch antisemitisch gesonnen seien. Böll verlängert, an unzähligen Stellen seines Werkes, die Tradition derer, die schreibend immer wieder die Würde derer zu Bewußtsein bringen, die die schwere Arbeit tun: von Johann Peter Hebel über Georg Büchner bis zu Bertolt Brecht.

Das Darstellen von Geschichte durch Erzählen pointiert Böll stellenweise bis zum Anekdotischen: „so ritten noch im Jahre 1938 zwei jüdische Mädchen mit dem Schützenkönig, der zugleich Ortsgruppenleiter (der Nazipartei, K. J.) war, auf dessen Schimmel durch ein Nachbardorf". Welch eine Zeit, welch ein Land, in denen so etwas zu den Skurrilitäten gehört, die überdies noch gefährlich sind! Deutlich konzentriert sich besonders an solchen narrativen episodischen und anekdotischen Passagen die Motivation Bölls, die den gesamten Essay bewegt: Korrektur der Monumentalhistorie, Zersetzen von Klischees, die etwa in der Ansicht bestehen könnten, so etwas sei 1938 in Deutschland vollkommen undenkbar gewesen − ein Klischee, das die vielen nachbarschaftlichen Normalitäten ignorieren möchte, die freilich ohne die tägliche Couragiertheit und das unpathetische Heldentum der kleinen Leute nicht möglich gewesen wären.

Humane Gegengeschichte gegen die offizielle Ritterkreuz-Historie befreit sich im Erzählen. Im Erzählen auch von jenem Pfarrer Kreitz, der mit so selbstverständlicher Courage in Drove gegen die Nazis und für die Juden sich engagierte, daß noch ein halbes Jahrhundert später im Dorf von ihm erzählt wird. Der Autor Böll gerät zunächst an die chronikalischen Aufzeichnungen des Pfarrers − zum Teil in alten Kirchenblättern publiziert − und befreit dann das, was dort im Schriftlichen kondensiert und gefroren ist, durchs Erzählen wieder zu Geschichten, die das humane Maß haben und nicht das der Archive und gelehrten Fachzeitschriften. So erzählt Böll, wie dieser Pfarrer Kreitz mit seinen Ministranten in die Drover Synagoge geht, ihnen vom Kantor Einrichtung und Ritus erklären läßt, wie er und seine Gemeinde zusammen mit den Juden des Dorfes das Laubhüttenfest feiern, wie er die Juden in seine Kirche einlädt und wie er vorsätzlich dann auf der Kanzel deutlich Stellung nimmt, wenn ortsbekannte Nazis gerade in die Kirche hereinkommen. Böll hält es hier anders als am Anfang des Essays: Dort hatte er zuerst von den Aktivitäten des Arbeiters Karl Schröteler erzählt, die zum Aufstellen des Gedenksteins geführt hatten, und danach erst kam die Generalisierung und Erweiterung der Perspektive durch den anschließenden Hinweis auf die „Dokumentation zur Geschichte des Judentums am linken Niederrhein seit dem 17. Jahrhundert" von Klaus H. S. Schulte (Düsseldorf 1972) mit Angaben auch über die Juden von Drove. Jetzt an späterer Stelle des Essays geht Böll von der Kirchenzeitung und den Chroniknotizen des Pfarrers Kreitz, also von schriftlich Fixiertem aus, das er danach erst aufblühen läßt im Erzählen von Geschichten, ja eines „ganzen Romans" (101).

Der Weg zwischen Abstraktion und Narration ist also bei Bölls Verfahren, Geschichte in lebendiges Erinnern zu überführen, in beiden Richtungen begehbar. Die Intention bleibt bei beiden Wegen gleich: schriftlich fixierte Geschichte, die permanent in der Gefahr steht, ins Abstrakte, Offizielle und Monumentale entfremdet und damit Ideologen und Funktionären neu dienstbar zu werden, durch Erzählen zu erlösen, sie zu erlösen zur humanen Nähe und Nachbarschaft, wie das in „Dornröschen" und im „Froschkönig" passiert.

Der Pfarrer Kreitz des Dorfes Drove wird so bei Böll zum Zeichen dafür, daß einerseits die Kirchen sich nicht vollständig und total der Nazidiktatur ausgeliefert und anbequemt haben — was freilich nicht völlig unbekannt wäre —, daß es aber andererseits eben nicht nur den Pater Delp, den Prälaten Lichtenberg, den Bischof Galen gegeben hat, die schon lange ihre Sklaven — und Frondienste als Vorzeigefiguren bei der Kirche in der offiziellen Denkmalhistorie tun müssen, wenn es um Widerstand im Dritten Reich geht, und so noch einem Stückchen posthumer Passion ausgeliefert sind, gegen die sie sich nicht mehr wehren können — nein, daß es an unzähligen Stellen den unbekannten, nahen, nachbarschaftlichen und „normalen" Widerstand gab, der nicht weniger gefährlich war und nicht geringere tägliche Mutproben verlangte, als man es von den geschichtsbuchoffiziellen Widerständlern weiß — die deshalb nicht geringer zu achten sind, aber heute täglich in der Gefahr stehen, zwischen Oleanderkübeln und Streichquartetten ihrer wahren Identität beraubt zu werden von den nachgeborenen Funktionären des Salbaderns und der Salbung.

Beim Umsetzen von Geschichte in Geschichten tut Heinrich Böll etwas Abenteuerliches, etwas abenteuerlich Richtiges: er kehrt an vielen Stellen die historischen Perspektiven um, stellt unsere Zeitvorstellungen auf den Kopf, entgrenzt eine unserer — nach Kant — fundamentalen Anschauungsformen, indem er Geschichte nicht nur geschehen sein läßt — was ja auch etymologisch so einleuchtend ist —, sondern sie

60

potentiell noch in der Zukunft geschehbar werden läßt. Er tut das unter anderem dadurch, daß er – wohl kaum absichtlich – ein in Max Frischs Roman „Gantenbein" approbiertes Verfahren erzählerischer Fiktion aus der Literatur befreit und heimholt in unsere geschichtliche Realität: „Ich stelle mir vor, daß ein Junge in Drove, 1983 geboren, im Jahr 2000 17 Jahre alt, am Gedenkstein für die jüdischen Mitbürger stutzig wird, nachzudenken beginnt, den so romantisch stillen Judenfriedhof entdeckt; vielleicht ist er einer, der wissen möchte, wo er lebt, wissen möchte, was alles im Dorf und ums Dorf herum geschehen ist" (96).

Daß der Historiker ein umgekehrter Prophet sei, ist seit Schlegel eine fast geflügelte Wahrheit geworden. Bei Böll hier kehrt sich der Historiker selbst um, er dreht sich um einhundertachtzig Grad vom Rückwärtsblick zur Ausschau in die Zukunft, er wird zum Propheten, ohne mystisches Getue, zum Vorausdenker. Was damit geschieht, ist nichts anderes, als daß Zeit als Kontinuum begriffen wird, in dem die korrekten Separationen und Zwischenwände unserer Zeitbuchhaltung ihren zweifelhaften Sinn verlieren. Zeit wird als Ganzes begriffen, analog zum Raum – den Böll hier, wie wir noch sehen werden, gleichfalls verändert – als fast Simultanes gesehen, so wie man sagt, daß aus einer göttlichen Perspektive, die durch unsere Anschauungsformen nicht eingeengt ist, die Zeit von der tiefsten Vergangenheit bis in die äußerste Zukunft wie eine Landschaft in allen ihren Erstreckungen simultan als Fläche und Kreis vorhanden sei. Vergangenheit, Gegenwart und Zukunft gehören für Böll als eines zusammen, bilden eine untrennbare, bewohnbare Nachbarschaft, aus der die in Bölls Werk von früh an immer wieder dargestellten Verpflichtungen des Menschen rühren: selbstverständliche, nichtaufhörende Verantwortung für die Vergangenheit, permanente Verantwortung für die Zukunft, volle Verpflichtung für die Gegenwart ohnehin. Moralischer Zeitsinn, moralisches Gedächtnis und Gedenken umgreifen mit denkbar größter Selbstverständlichkeit die Zukunft mit, ohne daß auch nur eine Spur von hellseherischer Scharlatanerie, von Kaffeesatzleser- und Kartenleger-Gehabe hier eine Chance hätte. Wiederholt wird hier für Böll das Jahr Zweitausend zum geometrischen Orientierungspunkt der vorausschauenden moralischen Phantasie: Ein 1941 aus Drove deportierter elfjähriger Junge wäre dann siebzig; die ein Jahr jüngere „Edith Leiser, dann 69, hätte einen Bäcker geheiratet, der den väterlichen Laden übernahm, hieße Schwarz – oder Roer –, vielleicht wäre die Leisersche Bäckerei auch längst einer Supermarktkette einverleibt, die 69jährige Edith säße dort an der Kasse und würde nach vollzogener Abrechnung die Einkaufskarren wieder zurechtschieben oder die Einkaufskörbe ordentlich ineinanderstapeln" (107).

Nirgends wird es so deutlich wie an diesen mit Liebe verzeichneten Details, die einer Jüdin des Dorfes ihr normales und selbstverständliches Leben zurückerstatten, daß bei Böll in die Zukunft sich erstreckende Geschichte Lebenschance ist, lebenschaffend, lebengarantierend, lebenerhaltend – wo geschichtslose Barbaren deportiert und abgeschlachtet haben. Nach vorwärts weitergedachte Geschichte ist Korrektur der zu Asche zerfallenen Barbarei, ist humane Utopie des möglichen Andersseins, als es bisher war. Eine solche in die Zukunft blickende Phantasie gibt der Geschichte ihre Potentialität als eine immer wieder vergessene und daher neu zu entdeckende Würde zurück. Geschichte hat Möglichkeiten, Lebensmöglichkeiten, Alternativen sagen wir heute, Alternativen zum bestehenden Stumpf- und Schwachsinn, der täglich viele Menschen auf der Erde ihr Leben kostet. Geschichte ist vorstellbar als lebenerhaltend, ist vor allem zu begreifen als durch humane Phantasie veränderbar zu einem Besseren hin – was sonst wäre zum Beispiel der Angelpunkt des gesamten Werks von Brecht! „Ich verlange in Allem – Leben, Möglichkeit des Daseins, und dann ist's gut", sagt Lenz bei Georg Büchner. Das ist es, was Böll hier und in anderen Texten als die Potentialität von Geschichte, als den Lebensraum Geschichte einfordert, gerade auch für die Zukunft.

Vernetzung der Zeiten zu einem Ganzen der Zeit – Vernetzung von Punkten und Orten zu einem Ganzen des Raums wäre die entsprechende Intention in Bölls Essay. Beide Perspektiven auf ein großes Kontinuum treffen zusammen in einer Beobachtung, die selbst heute für manchen noch ihr Schockierendes haben mag: Es muß, so Böll, zumindest seit dem dritten nachchristlichen Jahrhundert in Köln schon eine jüdische Gemeinde gegeben haben. „Noch älter waren wahrscheinlich die Judengemeinden in Speyer, Worms und Mainz. Es gab also Juden im Rheinland, bevor es dort die ersten Christen gab. Wahrscheinlich gab es Juden hier schon vor Christi Geburt" (100). Und dann die plausible Folgerung: „Möglich, daß es kaum einen Rheinländer gibt, in dessen Adern nicht – nach Naziterminologie – jüdisches Blut fließt."(100). Was jeden Antisemitismus und auch jeden ostentativen Philosemitismus zur Absurdität und zur fast physischen Persönlichkeitsspaltung werden läßt. Selbstverständliches Beieinanderwohnen ist stattdessen die der Wahrheit einzig angemessene tägliche Normalität, die Böll nun in Engführung des Blicks an dem Dorf Drove bis in die Nazizeit hinein anschaulich macht: „Eine Nachbarschaft, die jahrhundertealt war" (95).

62

„Integration und Normalität" (96) beobachtet Böll in Drove auch noch 1935, als der Jude Robert Dahl, Vorsitzender eines Sportvereins, Veteran des ersten Weltkriegs, auf dem Friedhof begraben wird und das ganze Dorf selbstverständlich teilnimmt. Böll sieht die Juden ganz natürlich in die tägliche Normalität und Durchschnittlichkeit des Dorfes integriert: „Es war ihr Dorf, sie waren Deutsche, so klug und so dumm wie ihre Nachbarn, sprachen deren Platt. [...] Die Juden von Drove wurden nicht als Fremde empfunden, nichts an ihnen war exotisch, auch nicht mehr, seitdem die Dorfbewohner belehrt worden waren und die Synagoge besichtigt hatten, ihr oft propagandistisch mystifizierter Gottesdienst. Die Juden gehörten dazu, sie hatten eine andere Religion, aber das war seit Jahrhunderten bekannt" (107 u. 109). Und schließlich an uns die Frage, die auch an unsere Zukunft rührt: „Ob die Deutschen je begreifen werden, wie deutsch die Juden in den Dörfern waren, wie ‚normal' patriotisch − kleinbürgerlich bis ‚spießig' − und daß Vertreibung mit der Vertreibung der Juden begonnen hat?" (114)

Zur normalen Alltäglichkeit bis in die dreißiger Jahre hinein gehört für Böll das ebenfalls selbstverständliche Faktum, daß die Juden keineswegs alle Einsteins und ebenso wenig alle Rothschilds waren und daß die Ermordung jedes einzelnen Unbekannten von ihnen nicht minder unfaßbar ist als der Tod Ossietzkys nach Inhaftierung durch die Gestapo. „Mir ist nie so recht wohl gewesen, wenn man allzu häufig nur das Fehlen der Intellektuellen, der Ärzte, Wissenschaftler, Autoren und Künstler jüdischer Herkunft beklagt hat, den Verlust fürs ‚deutsche Geistesleben'. Nicht nur dieser Verlust ist zu beklagen. In dem einfachen Brief von Karl Schröteler an die Gemeinde [...] werden keine Koryphäen beklagt, sondern verlorene, verschwundene Schulkameraden, wird zerstörte Nachbarschaft beklagt. Eine Nachbarschaft, die jahrhundertealt war" (95). Damit ist das organisierte Zentrum des Böllschen Raumkonzepts benannt: Nachbarschaft, Beieinanderwohnen, Miteinanderleben im Alltäglichen − es ist das, was Böll selbst − folgt man manchen seiner autobiographischen Notizen − während seiner Kindheit und Jugend in Köln noch selbst erleben konnte und was als verlorenes und zerstörtes Paradies oder als scheue Utopie die Gesellschaft und die Trümmerlandschaften seiner Romane grundiert; die Imbißbude in „Und sagte kein einziges Wort" ist eine solche zarte Nachbarschaftsutopie.

Böll versteht − und das ist das eigentlich Visionäre daran − Nachbarschaft als räumlich und zeitlich sich erstreckend, als Kontinuum der Räume und Zeiten und der in ihnen wohnenden Menschen, die infolgedessen räumlich und zeitlich-historisch sich als Nachbarn zueinander zu verhalten hätten. Jener Satz von der „Nachbarschaft, die jahrhundertealt war", rückt die Elemente des visionären Raum-Zeit-Kontinuums fast wie in einer Formel zusammen, sozusagen Nachbarschaft stiftend zwischen den Kantschen Anschauungsformen und zwischen gewöhnlich voneinander entfernt liegenden Vorstellungen.

Es ist nicht zu viel gewagt, in einem solchen Konzept von Nachbarschaft das organisierende Zentrum des Böllschen Werk-Kosmos, seines sozialen Entwurfs und das einheitsstiftende Moment in Bölls riesigem Werk zu sehen. Es ist die Utopie, die die vielen Werke Bölls untereinander in Nachbarschaft bringt, sie so untereinander in Beziehung setzt, daß sie als Teile eines Miteinander und einer beziehungsvollen Konzeption dieses Autors erkennbar und identifizierbar werden.

Daß solche Thesen keine Mystifikation sind, belegen ganz zentrale Passagen der „Frankfurter Vorlesungen", die Böll vor über zwei Jahrzehnten, im Wintersemester 1963/64, gehalten hat: „Ein Autor, ein Urheber, ein Poet also, − er würde nicht nur gern wohnen (wohnen ist ein Verb, ein Tätigkeitswort), sondern auch die Sprache, in der er schreibt, bewohnbar machen, es ist ja nicht gut, daß der Mensch allein sei, und er kann sich nicht selbst Heimat und Nachbarschaft, Freundschaft und Vertrauen aus den Rippen bilden, die ihm geblieben sind. [...] Erkannt werden sollte, was wichtiger ist [als Eitelkeit und Gekränktheit, K. J.]: die Suche nach einer bewohnbaren Sprache in einem bewohnbaren Land" („Frankfurter Vorlesungen", 42). „Unsere Literatur hat keine Orte. Die ungeheure, oft mühselige Anstrengung der Nachkriegsliteratur hat ja darin bestanden, Orte und Nachbarschaft wiederzufinden. Man hat das noch nicht begriffen, was es bedeutete, im Jahre 1945 auch nur eine halbe Seite deutscher Prosa zu schreiben" („Frankfurter Vorlesungen", 49). Daß das keine ort- und realitätslose Behauptung war, sondern die Artikulation eines Schreckens, der die deutsche Literatur der letzten Jahrhunderte heimsucht, das bestätigte Bölls Zeitgenossin Christa Wolf noch vor wenigen Jahren an Karoline von Günderrode und Heinrich von Kleist in der Erzählung mit dem bezeichnenden Titel „Kein Ort. Nirgends".

Drove wird zum Paradigma der Nachbarschaft. Das überschaubare Dorf wird repräsentativ, zum Exempel des Universellen. Nachbarschaft gilt räumlich, zeitlich, zwischen den Menschen und ihren Formierungen, zwischen sozialen Gruppen. Daß das auf dem Dorf weithin „einfache" Leute sind, braucht nicht erklärt zu werden. Als Böll von jener treuen alten Frau berichtet, die früher Dienstmädchen bei einer jüdischen Familie des Dorfes gewesen war und in der Nazizeit ihren Protest

64

gegen die Terrorisierung der Juden nicht verbarg, setzt er das „einfach" zwischen Anführungszeichen, weil in der Tat das Leben dieser tapferen Frau viel komplizierter, viel weniger „einfach" war als das von reicheren Mitmachern und Mitläufern aus sogenannten besseren Kreisen. Und was schon hieße „einfach" als Kennzeichnung des sozialen Status? Wie müßte man die Leute am anderen Ende der sozialen Skala – wenn es denn wirklich eine Leiter wäre – dann nennen: „komplizierte" Leute? Oder etwa „doppelte" Leute, um die dort weiter verbreitete Mehrfachmoral wirklich beim Namen zu rufen? Nachbarschaft jedenfalls sieht Böll bei ihnen in weniger guten Händen als bei den „einfachen" Leuten, das zeigt er an den Villenvororten des „besseren" katholischen Milieus in „Ansichten eines Clowns" und auch früher schon an jener fast legendären Frau Franke in „Und sagte kein einziges Wort", auch an jener hysterischen Tante Milla in der Weihnachts-Satire. Soziale Prätention und sich bewährende Nachbarschaft schließen im Werk Bölls in der Regel einander aus. Und in der Realität außerhalb der Buchseiten wohl auch.

Zeitliche Nachbarschaft zwischen den Epochen hat eine Konsequenz, die wiederum einer der ganz zentralen Angelpunkte des Böllschen Werks von seinem Anfang an ist: das Vergangene ist nicht vergangen, ist nicht abgetan, ist schon gar nicht „bewältigt", wie die mit „Gewalt" etymologisch verwandte Lieblingsvokabel derer heißt, die das verbale Bewältigen vor Gummibäumen und Kammerorchestern zu ihrer Profession gemacht haben, mit den denkbar schnellsten Gefährten zwischen den verschiedenen Bewältigungsfestivals hin- und her-hastend. Nichts ist bewältigt. Das zeigt jede – von meist jungen Leuten gebrüllte – Hetzparole gegen Türken und Juden auf großen und kleinen Fußballplätzen. Die Vergangenheit ist mitten unter uns, wenn die Polizei auf Linke einprügelt und bei Rechten sich die Augen zuhält, wie 1984 in Hannover geschehen, wenn Nazis Oberstudiendirektoren sind, Kommunisten aber als Briefträger untragbar, wenn ein ehemaliger Bundeswehrleutnant sich an die Spitze einer neuen Naziorganisation stellt. Drove wird für Böll auch darin zum deutschen Exempel: „die überlebenden Juden aus dieser beschriebenen Region wissen noch gut, daß es auch damals nur eine Minderheit war, die sie bedrohte, vertrieb und ihre Verwandten dem Tod auslieferte, und jede antisemitische Drohung, auch wenn sie von einer heutigen Minderheit ausgeht, bedeutet deshalb für sie mehr, als wir alle wahrhaben wollen, auch die Politiker, die Erhebungen über den latenten Antisemitismus wohlweislich unter Verschluß halten" (110). Wenn gerade jetzt in diesen Tagen das Ergebnis einer Umfrage bekannt wird, wonach in Österreich nur 15 % der Gesamtbevölkerung keine Vorurteile gegenüber Juden haben (*FAZ*, 14. September 1984, S. 9), dann könnte man unter Umständen einen kleinen deutschen Bonus abziehen, wird aber auch bei uns mit erschreckenden Energien an Antisemitismus rechnen müssen.

Angesichts des Dorfes Drove kann man mit Böll fragen, warum so wenige überlebende Juden zurückkehren, und sei es nur für Tage. Die Antwort liegt heute in der Luft einer Gegenwart, die noch mit dem Vergangenen schwanger geht: „Nein, Frieden und Versöhnung – da zittert und brodelt es unter der Oberfläche – heimatvertrieben, zurückkehren und die aktiven Vertreiber noch sehen oder von ihnen zu wissen. Ob es überhaupt eine Rückkehr geben kann in eine Heimat, aus der so viele Verwandte in den Tod vertrieben wurden?" (112 f.)

Heimat – da haben wir das Stichwort, um das vor über zwanzig Jahren schon Bölls Frankfurter Vorlesungen kreisten und das jetzt eine – etwas irritierende – Renaissance hat in Edgar Reitz' riesigem Fernsehfilm. Kann eine Heimat noch eine sein, die für so viele das Tor zur Hölle, wirklich zur Gasofentür wurde? Die Heimatfilmorgien unserer fünfziger Jahre, um deren Renaissance es nicht schlecht zu stehen scheint, waren das schmierige Zukleistern jener in Abgründe führenden Löcher des Schreckens und des Terrors, die das in Deutschland so versentimentalisierte Uterus-Behältnis Heimat während der tausendjährigen zwölf Jahre bekommen hatte, eine Kleister-Aktion aus schlechtem Gewissen, das mit unter dem Kleister verschwand. Bölls Heimat-Vision ist davon unberührt. Sie ist Teil jener zerbrechlichen Utopie der Nachbarschaft, einer Utopie des Humanen, die im Kern meint: das menschenfreundliche und gerechte Miteinanderleben im Frieden und auf Dauer, und zwar das Miteinanderleben von Menschen jeder nur denkbaren Herkunft, Hautfarbe und Überzeugung. Welch ein Gewinn eine solche Nachbarschaft für jeden wäre, der in ihr lebte! Sie allein könnte Heimat garantieren, die allerdings mit dem bestußten Oberförster-Getue, Dirndl-Schwenken und Schwachsinn-Trällern nicht das Geringste zu tun hätte. Auch das Zither-Zupfen unterbliebe.

Nachbarschaft nach Art der Böllschen Utopie wäre Symbiose des höchst Unterschiedlichen auf Dauer – und im Alltag. Das Nachbarschafts-Konzept Bölls ist eines für alle Tage, bei aller utopischen Orientierung. Die heroischen Aufschwünge entfallen, es unterbleiben die Gelegenheiten und Anlässe für Bundesverdienstkreuze, Orden und Ehrenzeichen aller Art, so wie auch Bölls Geschichtskonzeption den Denkmälern und Standbildern keine Chance läßt. Was Böll hier tut mit seinem Essay über die Juden von Drove, fügt sich ein in die Erforschung und Beschreibung des Alltags, die seit einiger Zeit auch in den Geschichtswissenschaften ihren Platz hat. Auch die Erforschung „alternativer", verdrängter Lokalgeschichte, der Judenverfolgung, des Widerstands und des Mitmachens im Dritten Reich am Beispiel vieler kleiner Orte gehört mit zum Kontext des Böllschen Essays, der eben glücklicherweise nicht einsam steht und den hier zum Denkmal und Sonderfall zu machen, eine Verfehlung wider dessen eigenen Geist wäre. In etlichen Orten haben sich − sehr oft gegen den Widerstand konservativer und „christlicher" Honoratioren − vielfach junge Leute zusammengefunden, die den verdrängten Schreckensalltag jener zwölf Jahre und seine beiseitegeschobenen Opfer nicht einfach dem interessierten Vergessen solcher Leute anheimgeben wollen, die damals wie heute durch schönes Einverständnis und Mitmachen ganze Schafherden ins Trockene brachten. So hat sich in den letzten Jahren Ortsgeschichte und lokale Geschichtsschreibung in zweierlei ganz verschiedenen, ja konträren Formen präsentiert: im althergebrachten Modus von Herrschafts-, Denkmals- und Ordensgeschichte, vielfach auch Vereinshistorie mit der Darbietung dessen, wie sich Klimbim und Tschingbum über Jahrzehnte − nicht − verändert haben, und andererseits jener Lokalgeschichte, die den Opfern, dem Leiden und der so vielfach verletzten Nachbarschaft ihr Recht und ihre Würde wiederzugeben versuchen − und die Zeiten-Nachbarschaft darin bewußt machen, daß sie unsere Gegenwart vor Wiederholung in ganz anderer Form, etwa in der Aggression gegenüber Ausländern und Pazifisten, warnen. In dieser Szenerie verschiedener Wege der Geschichtsschreibung und der Manifestation ganz unterschiedlichen historischen Bewußtseins plaziert sich Bölls Essay ganz entschieden und deutlich auf der Seite jenes Geschichts-Konzepts, das die Leidensgeschichte der Unscheinbaren und Geschmähten der Gegenwart bewußtmachen und -halten will um einer nachbarschaftlicheren Zukunft willen.

Dazu gehört, wie Bölls Essay als Beispiel demonstriert, ein ganz neuer Orts- und Zeitsinn, einer der − um es halbwegs modisch zu sagen − in Vernetzung und Netzwerken denkt, der das Modell Nachbarschaft in die Anschauungsformen hineinverpflanzt und diese Anschauungsformen untereinander noch stärker zu Nachbarn macht als bisher, indem er die Zeit verräumlicht und den Raum verzeitlicht, wie an dem Dorf Drove und seiner Geschichte anschaulich wird. Ein Orts- und Zeitsinn, der in etwa mit dem der modernen Naturwissenschaft übereinkommt und − über das Vernetzungs- und Netzwerk-Modell − sichtbar auch mit dem Bewußtsein der ökologischen und pazifistischen Bewegung. Wie anders wäre eine zukünftige Welt der totalen Information und Informiertheit, der fast unbegrenzten Mobilität und zugleich der so gut wie kompletten Erdrosselung durch Waffen und Massenmordcomputer, wie anders wäre eine solche Welt überhaupt noch rettbar und denkbar ohne das utopische Netzwerk-Modell globaler Symbiose, nachbarschaftlichen Denkens und Verhaltens?! Wer Christa Wolfs Buch „Kassandra" liest, wird feststellen, daß auch dieser Text seine kaum überbietbare Qualität exakt in dem neuen Orts- und Zeit-Sinn hat, im Bewußtsein notwendiger Symbiose zwischen den Epochen und den Orten und Völkern, der Nachbarschaft zwischen Troja und Berlin etwa. Kassandra würde auch in Drove zu den Opfern gehört haben und zugleich zu denen gehören, deren Klage unser Herz und unseren Kopf den Leiden dieser Opfer öffnet.

Heinrich Böll widmet seinen Essay über die Juden von Drove „dem Gedächtnis unseres verstorbenen Sohnes Raimund, dem ich nie erklären konnte, was auch mir unerklärlich blieb" (94). Ich denke, Heinrich Böll, Kassandra, Christa Wolf, der Arbeiter Karl Schröteler und die Juden von Drove könnten zusammen wenigstens den Ansatz einer Symptombeschreibung versuchen: daß es zerstörte Symbiose, verletzte Nachbarschaft, zerrissenes Netzwerk ist, was dem Unerklärlichen die Tür öffnet.

Anmerkungen

Die Seitenangaben im Text beziehen sich, wenn nichts anderes vermerkt ist, auf folgenden Abdruck: Heinrich Böll: Frankfurter Vorlesungen. Köln – Berlin (Verlag Kiepenheuer & Witsch) 1966 (Reihe „Essay". Hg. v. Manès Sperber. Bd. 7), und „Die Juden von Drove". In: Heinrich Böll: Ein- und Zusprüche. Schriften, Reden und Prosa 1981–1983. Köln (Kiepenheuer & Witsch) 1984.

Bölls Essay wurde geschrieben für: Jutta Bohnke-Kollwitz u. a. (Hg.): Köln und das rheinische Judentum – Festschrift Germania Judaica 1959–1984. Köln (J. P. Bachem Verlag) 1984. Dort S. 487–499.

Gerhard Rademacher

Sanfter Engel und subversive Madonna

Mythologische Anspielungen in und zu Gedichten Heinrich Bölls

> *„Die Instanz, die berufen wäre, einem*
> *Künstler seine Christlichkeit als solche*
> *zu bescheinigen, ist nicht einmal denkbar (. . .)"*

Heinrich Böll: Kunst und Religion, 1959

Unter dem Titel „Engel — wenn Du ihn suchst"[1] veröffentlicht Heinrich Böll 1965 ein Gedicht. Der Text erscheint in der Zeitschrift „Engel der Geschichte"[2], die von dem Grafiker und Holzschneider HAP Grieshaber herausgegeben wird. Das Gedicht wird unter dem Pseudonym Victor Hermann(s) und in einer „versteckten Publikation" abgedruckt, wofür der Autor in einem 1967 gegebenen Fernsehinterview selbst eine plausible Erklärung liefert. Er scheue sich etwas, obwohl er als junger Mensch sehr viele Gedichte geschrieben habe und noch weiterhin welche schreiben werde.[3]

Das Gedicht „Engel" liegt in über einem Dutzend Vorstufen[4] im Böll-Archiv vor. Man kann nur eine ungenaue Zahlenangabe hinsichtlich der verschiedenen Versionen machen; denn die eine oder andere Fassung läßt sich sowohl als ein Fragment bzw. auch als zwei Fragmente identifizieren. Von der Editionsproblematik abgesehen, die hier nicht diskutiert werden soll und kann, ist der Befund einer Reihe abweichender Fassungen unter folgendem Aspekt aufschlußreich: Er belegt nicht nur grundsätzlich an einem Einzelfall, wie die „Fortschreibung"[5] des Böllschen Werkes vor sich geht, sondern sie beweist außerdem, daß der Autor seine Gedichte kaum als Nebenwerke nur bei Gelegenheit[6] einmal heruntergeschrieben hat. Es kam ihm auch bei seinen lyrischen Texten darauf an, sie von Sprache und Struktur her zu präzisieren.

Wenn man diese Prämisse akzeptiert, fragt man sich aber immer noch, warum der gesellschaftskritisch engagierte Autor ausgerechnet ein Gedicht über „Engel" schreibt und dann noch mehrfach veröffentlicht, nämlich auch in der seit 1972 öfter aufgelegten Sammlung[7] seiner

Gedichte. Die Antwort wäre zu einfach mit dem Hinweis auf das „katholische Milieu" der Herkunft Bölls, das zwar antiklerikal war, aber eben doch religiös; sie wäre auch noch zu leicht, wenn man auf den Einfluß anspielt, den die französischen Autoren des Renoveau catholique, eben die Leon Bloy, Georges Bernanos, Francois Mauriac auf den noch unveröffentlichten Böll, aber auch noch auf sein Frühwerk gehabt haben. Die britischen Konvertiten Evelyn Waugh und Gilbert Keith Chesterton sowie der Philosoph Theodor Haecker und die besonders in den fünfziger Jahren reüssierenden katholischen deutschen Schriftsteller Gertrud von Le Fort, Werner Bergengruen und Reinhold Schneider reichen in ihrer Wirkung auf den Autor ebenfalls nicht aus, um eine überzeugende Begründung dafür anzubieten, daß Böll sich − karikierend gesagt − mit poetischer Angelologie befaßt.

Denn ein Rückgriff auf Engelskunde in der Tradition der katholischen Kirche könnte als der Versuch einer Reideologisierung mißverstanden werden. Böll hat es aber schon seit seinen ersten Publikationen immer auf eine Art Ideologiekritik abgesehen. Er demaskiert aber nicht so sehr die überkommenen Werte Heimat, Religion und Hierarchien jeder Art als solche,[8] sondern deren Überspitzungen und Perversion durch sich absolut setzende Institutionen, Parteien, Führer und andere totalitäre Mechanismen zugunsten eines allumgreifenden Materialismus.

Eine schlüssige Begründung erläutert Böll in einem 1970 mit dem Lyriker Johannes Poethen geführten Interview. Er sagt dort u. a.: „Ich glaube (. . .) nicht, daß rational und irrational Alternativen sind. In der philosophischen, soziologischen Polemik werden die beiden Dinge leider immer antithetisch gesehen: Entweder − oder. Im Grunde − und ich glaube, auch das ist eine wichtige Aufgabe für die Literatur und alle Künste − gibt es beides nicht rein, sondern in vielfacher Mischung; (. . .) Es gibt eben eine trinitarische Möglichkeit des Menschen; und wie der Mensch nach meinem Gefühl oder nach meiner Einsicht trinitarisch angelegt ist, so ist es diese Mischung von rational und irrational, die man dann − was weiß ich? − nennen würde: ‚die dritte Möglichkeit'."[9]

Diese ‚dritte Möglichkeit', das ‚Trinitarische' schlechthin ist für Bölls poetisches Erkenntnisinteresse ebenso leitend wie für seine Ästhetik der von ihm entworfenen Strukturen: Es meint nicht den Weg des geringsten Widerstandes mit dem Trinitarischen; er hat es nicht auf den eleganten und glatten Kompromiß abgesehen, also nicht einerseits auf eine clevere Modernisierung des Mythos generell oder des Christlichen speziell, sondern vielmehr auf eine ästhetisch-konkrete Form dessen, was Bernd Balzer auf die Formel von „Anarchie" und „Zärtlichkeit"[10] gebracht hat.

Dieser „Gesetzentwurf aus Anarchie und Zärtlichkeit" richtet sich gegen „(. . .) (die) tragenden Prinzipien dieser Welt, ‚Ordnung' und Gewalt"[11], beispielhaft in der Erzählung „Die verlorene Ehre der Katharina Blum . . ."[12], die 1974, also neun Jahre nach dem von uns angezogenen Gedicht „Engel . . .", erscheint.

Ehe wir das Gedicht wiedergeben, noch eine Definition und zwei Verweise, die Bölls dritte Möglichkeit, das Trinitarische u. a. im Begriff des Mythos aufheben sollen. Mythos ist als Begriff mehrschichtig, wenn nicht gar schillernd, wir bestimmen ihn hier einmal als eine Art von überwissenschaftlicher und über den Begriff hinausgehender ‚Energeia', als Wirksam-sein und Wirksam-werden, als „unmittelbares Vergegenwärtigen, Versinnbaren und Aussprechen letzter Wirklichkeitserfahrungen auf dem Grunde eines Anschauens im Ganzen".[13] Anders ausgedrückt: Im Mythos werden die Gegensätze und Widersprüche nicht eliminiert, wohl aber so vermittelt, daß sie immer wieder, umgewandelt in konstruktive Kraftfelder, aus dem Chaos herausführen. Der Mythos kann die Regeneration des zeitweilig aus dem Blick und aus den Fugen geratenen Kosmos ermöglichen, sofern er nicht gerade der pervertierte „Mythos des zwanzigsten Jahrhunderts" eines Alfred Rosenberg ist.

vielbeachteten Rede auf dem Germanistentag in Passau auf die „Rückkehr der Mythen in die Sprache der Politik"[14] Bezug genommen. Er spricht dort auf „(. . .) die Technik des Mythos" an, die er als „das Versprechen gelöster Probleme und erfüllter Hoffnungen"[15] bestimmt. Um dann fortzufahren: „Das ist ja das Geheimnis der Werbung: Geboten wird ein Thema, verkauft wird ein Produkt. Aber das ist nicht schlimm, denn die Leute wissen Bescheid und lassen sich sogar ganz gerne etwas vorspiegeln; nur Kinder und Spätaussiedler muß man warnen (. . .)".[16]

Den Kontrapunkt zu dieser Auffassung setzt z. B. Günter Kunert, Lyriker und Essayist, wenn er die permanente Metamorphose von Geschichte als Herstellung eines Mythos beschreibt, der eine „Sinngebung des Sinnlosen" (Theodor Lessing) ermöglichen soll; denn „der Sinn, den wir der Welt unterstellen, muß immer erst erfunden werden, (. . .) in der Welt selber ist er nicht enthalten. Ohne diese Mythenbildung vermögen die Menschen nicht zu leben (. . .)"[17] Daran ändert − so kann man hinzufügen − auch die immer wieder praktizierte Perversion des Mythos nichts.

Ist demnach, entsprechend der Hypothese Kunerts, Mythen- und

Mythosbildung über das Gedicht nicht nur möglich, sondern sogar notwendig, unumgänglich? Und muß, wenn schon Archaisches und Archetypisches bemüht werden soll, ausgerechnet ein ,Engel-, Cherubim- oder Seraphim-Bild' inkarniert werden; warum dann nicht schon eher auf dem berühmten Sockel ein Marx- und Engels-Bild zum Anfassen?

Endlich zu Heinrich Böll und zu seinem Gedicht:

„Engel[18]

Engel – wenn Du ihn suchst
er ist Erde
zwischen den Steinen am großen Berg
bereit aufzustehn
wenn Du ihn rufst
wenn Du ihn rufst
ohne Macht
ohne Herrlichkeit
ruf wie ein Bruder
wenn Du ihn suchst
Germane war er Jude Christ
Erde ist er für Schlehdorn Fuchsie Ginster
zwischen den Steinen am großen Berg
Wenn Du ihn suchst
wenn Du ihn findest Engel
mach ihn neu
nicht aus Blut
nicht aus Galle
aus Tränen und
ein paar Tropfen Rheinwasser
mach ihn neu
wenn Du ihn findest"

Der Engel, auf den Böll sich hier selbst (oder besser: das lyrische Ich?) und konsequenterweise auch seinen Leser bezieht, ist ein Engel ohne den verniedlichenden Heiligenschein einer angeblichen Volksfrömmigkeit. Dieser erdhafte Engel ist weder der Cherub mit dem Flammenschwert, der den Weg zum Baum des Lebens bewahren und bewachen soll, noch der Engel der Verkündigung. Zunächst scheint es so, als ob Bölls angelologische Vorstellung mit der Auffassung der traditionellen Theologie übereinstimmt, die – so Karl Rahner – „von der Existenz von Engeln überzeugt ist, (von Engeln, die mit den Menschen zusammen eine gemeinsame Heilsgeschichte haben) (und somit) nicht von dem Axiom ausgehen (kann), es könne Gott gegenüber nur eigentlich menschliche Subjektivitäten geben (. . .)"[19] Bei näherer Betrachtung geht der Autor über diese herkömmliche theologische Lehrmeinung jedoch hinaus, indem nämlich Mensch und Engel gleichgestellt werden. Böll formuliert ähnlich wie der Theologe Rahner konditional,[20] demnach unter der Bedingung oder Voraussetzung, daß Engel existent sind, seien sie wie Artverwandte, wie Brüder eben, anzurufen. Ausnahmsweise können wir in diesem Gedicht auch das lyrische Ich mit der Person des Autors identifizieren oder doch in ein enges Beziehungsverhältnis zu ihr setzen; denn Böll spricht in dem schon erwähnten Interview mit Johannes Poethen nicht etwa nur abstrakt von einer Forderung nach gesellschaftlicher oder menschlicher „Gleichheit", sondern von einem „Mythos der Gleichheit", wenn denn schon im 20. Jahrhundert wieder ein Mythos entstehen sollte oder könnte.[21] „Die demokratische Literatur", fährt er fort, „müßte den Mythos vom Menschen schaffen, vom Alltag des Menschen, müßte die mythischen Elemente des Alltags, die Poesie auch des menschlichen Alltags wieder schaffen (. . .)"[22]

Das Engel-Gedicht widerspricht dieser Vorstellung keineswegs; im Gegenteil: Sowohl das Gebot der Nächstenliebe wie der Lessingsche Toleranzgedanke sind in die Verse eingegangen, wenn es heißt: „(. . .) ruf wie ein Bruder / wenn Du ihn rufst / Germane war er Jude Christ (. . .)"[23] Die Anrufung soll unter Verzicht auf „Macht" und „Herrlichkeit" erfolgen, was als kritische Anspielung auf den nach Böll überzogenen Herrschaftsanspruch der institutionalisierten Kirche zu verstehen ist. Der „Mythos der Gleichheit" beschränkt sich nicht auf das gleichrangige Miteinander zwischen Mensch und Engel; letzterer ist auch Partner für die Natur. Er erhebt sich nicht über Pflanzen und Steine in eine nur begrifflich-gedachte Transzendenz. Böll „versetzt" die abgehobene theologisierte Vorstellung von der Transzendenz im allgemeinen und vom Engel im besonderen in ein alltägliches Umfeld. Es wird den Kenner nicht überraschen, mit der Wendung „ein paar Tropfen Rheinwasser"[24] wieder einmal an Rheinisches, ja Kölnisches erinnert zu werden.

Was in mancher Anspielung des Zyklus „Köln I-III"[25] aus den Jahren 1968, 69 und 72 als Blasphemie oder zumindest Frivolität mißverstanden werden könnte, nämlich die Mischung von Sakralem und Banalem, Pontifikalem und Unfeierlich-Grobem wirkt in diesem Gedicht weniger direkt. Die Aufforderung, den „Engel" zu erneuern, „aus Tränen und /

ein paar Tropfen Rheinwasser" meint die vermenschlichte Leidensgeschichte und Erlösung. Indem die Emblematik und Symbolik eines nach Bölls Ansicht erstarrten oder zur verbalen Geste verkommenen Christentums durch leicht verständliche, ja unauffällige Metaphern oder Chiffren aus dem Alltag ersetzt wird, bestimmt sich die Perspektive des homo religiosus anders und neu, nämlich in Richtung auf einen laut Böll" (. . .) popularisierbaren Mythos des Menschen (. . .)"[26]

Aber ist die Hinwendung zu einem ‚alltäglichen' Engel oder zu einem Engel des Alltags bzw. im Alltag nicht doch eher eine Flucht, eine neue Art „innerer Emigration", wenn wir nur einen oberflächlichen Blick in die Zeitgeschichte werfen? 1963, als die ersten Entwürfe zu dem Gedicht „Engel" entstehen, wird John F. Kennedy in Dallas ermordet. Es kommt zu schweren Rassenunruhen in den USA, die zudem nach einem Militärputsch in Südvietnam dort ihre Streitkräfte verstärken. 1964 nach der Gründung der NPD nimmt der rechtsradikale Einfluß in Gemeinde- und Länderparlamenten der BRD die Chance wahr, sich legal in einem demokratischen Staat artikulieren zu können. Aber auch ‚konstruktive' Ereignisse sind für diese Jahre zu verzeichnen: Zwischen den USA, der UdSSR und Großbritannien wird der Moskauer Vertrag über die Einstellung von Kernwaffenversuchen in der Atmosphäre, unter Wasser und im Weltraum geschlossen, den die meisten Staaten der Erde unterzeichnen. Das Bürgerrechtsgesetz der USA schafft eine der Voraussetzungen für die volle Gleichberechtigung der Farbigen. 17 Erdumkreisungen gelingen mit einem sowjetischen Raumschiff, das drei Kosmonauten an Bord hat.

Welches der Zeitereignisse ist in das Engel-Gedicht eingegangen? Kann, soll diese Frage überhaupt ein Kriterium sein? Ist der Engel nicht nur, aber auch eine Anspielung auf die Astronauten, die immerhin schon seit 1961 dabei sind, den Weltraum zu erobern?

Bertolt Brecht spricht einmal von einer „Dialektik", auf die es dem Autor im Gedicht ankommen müsse; denn „flach, leer, platt werden Gedichte (dann), wenn sie ihrem Stoff seine Widersprüche nehmen, wenn die Dinge, von denen sie handeln, nicht in ihrer lebendigen, d. h. allseitigen, nicht zu Ende gekommenen und nicht zu Ende formulierenden Form auftraten (. . .)"[27]

Bölls Gedicht weist diese Art von Dialektik auf: Der Engel ist nicht einfach und selbstverständlich existent. Er wird nicht problemlos vorausgesetzt unter Berufung auf theologische Sätze oder gar Dogmen einer Kirche. Letztlich ist er nicht etwa nur eine fiktive Figur, sondern eine unter vielen noch zu entwerfende Figur des schon angesprochenen

„popularisierbaren" und daher auch zu popularisierenden Mythos vom Menschen: eine Utopie also, die Günter Kunert zu Recht als „(. . .) einen ganz besonders subtilen Mythos (. . .)" bezeichnet, „(. . .) für Intellektuelle speziell hergestellt (. . .)"[28]

Freilich ist dieser Engel „sanft", und daher wäre es falsch, seinetwegen die subversiven und aggressiven Gegenfiguren im Gesamtwerk Bölls nicht wenigstens am Rande zu erwähnen: z. B. den gegen das katholische Milieu lebenden und leidenden „Clown Schnier"[29] und die zum Revolver greifende „Katharina Blum"[30], ebenso wie die Untergrund-Madonna, die subversive Madonna, die hören kann „Wer an Kanälen lauscht / (. . .) in Labyrinthen / unter der Stadt / über Geröll, Scherben, Gebein / stolpert die Madonna / hinter Venus her / sie zu bekehren / vergebens / vergebens ihr Sohn hinter Dionys (. . .) / / Der dunklen Mutter / durch Geschichte / nicht gebessert / steht Schmutz / gut zu Gesicht / in Labyrinthen unter der Stadt / verkuppelt sie die Madonna / an Dionys / versöhnt den Sohn mit Venus / zwingt Gereon und Caesar / zur Großen Koalition / sich selbst verkuppelt sie / an alle die guter Münze sind"[31]

Der sanfte Engel und die subversive Madonna sind nicht nur Anspielungen auf eine synkretistische Privat-Mythologie[32]; sie „inkommodieren den Leser" (Schiller), indem sie ihn zum Widerspruch reizen.

Anmerkungen

[1] Engel — wenn Du ihn suchst . . . In: Engel der Geschichte. H. 4 (1965) unter dem Pseudonym Victor Hermann(s).
[2] a. a. O. (1) — Ferner in: Böll, Heinrich: Gedichte. Berlin 1972 — Unter dem Titel „Engel" in: Böll, Heinrich: Gedichte / Staeck, Klaus: Collagen. Bornheim-Merten 1975 (1. Auflage), 1980 (5. Auflage). S. 13 — Ferner: dieselben: Gedichte/ Collagen. München 1981. S. 13. Postum in: Böll, Heinrich: Wir kommen weit her. Gedichte. Mit Collagen von Klaus Staeck. Nachwort von Lew Kopelew. Göttingen 1986. S. 18. — Böll, Heinrich: Engel, wenn du ihn suchst. Gedichte. Hauzenberg 1987. (Edition Toni Pongratz, 25).
[3] Das dieser Äußerung zugrundeliegende Fernsehinterview wurde im WDR in der Reihe ,Selbstanzeige' am 21. 12. 1967 gesendet; der Text selbst erschien erstmals in: Kölnische Rundschau. Nr. 59 vom 09. 03. 1968. Hier zit. nach: Koch, Werner: Der Dichter und seine Sprache. In: Der Schriftsteller Heinrich Böll. Ein bio-bibliographischer Abriß. Herausgegeben und ergänzt von Werner Lengning. Erweiterte Ausgabe. München 1968. S. 103.
[4] Vgl. auch dazu die verschiedenartigen Fassungen der Gedichte „Meine Muse" und „Für Peter Huchel", erstmals im Faksimile abgedruckt in: Rademacher, Gerhard: Heinrich Böll als Lyriker. Eine Einführung in Aufsätzen, Rezensionen und Gedichtproben. Mit Beiträgen von Heinrich Böll, Robert C. Conard, Lew Kopelew u. a. Frankfurt a. M. 1985. S. 109–132.
[5] Vogt, Heinrich: Heinrich Böll. München 1978. S. 7 ff.

[6] Vgl. dazu: Conard, Robert C.: Gedichte ohne ästhetische Konformität. Einführung in die Lyrik Heinrich Bölls. A. d. Amerikanischen von Jörg W. Rademacher. In: Heinrich Böll als Lyriker. a. a. O. (4) S. 11 — Zunächst in: University of Dayton Review, Winter 1976, Vol. 13, No. 1., p. 9 (Conard, Robert C.: Introduction to the Poetry of Heinrich Böll.)

[7] S. dazu Anm. 2.

[8] S. dazu einschlägige „Aufsätze zur Zeit", die H. B. bereits 1961 („Erzählungen, Hörspiele, Aufsätze." Köln) und 1963 („Hierzulande. Aufsätze zur Zeit." München) veröffentlicht hat. Die Wertediskussion wird von ihm auch aufgenommen in: Böll, Heinrich / Vormweg, Heinrich: Weil die Stadt so fremd geworden ist. Gespräche. Bornheim-Merten 1985.

[9] Literatur und Religion. Interview mit Johannes Poethen. In: Almanach für Literatur und Theologie 4. Wuppertal 1970. S. 100.

[10] Balzer, Bernd: Heinrich Bölls Werke: Anarchie und Zärtlichkeit. Köln 1977.

[11] Balzer, Bernd: H. B.'s Werke. a. a. O. (10) S. (126).

[12] Böll, Heinrich: Die verlorene Ehre der Katharina Blum oder: Wie Gewalt entstehen und wohin sie führen kann. Köln 1974.

[13] Metzke, Erwin: Handlexikon der Philosophie. Heidelberg 1949[2] . S. 201.

[14] Glotz, Peter: Die Rückkehr der Mythen in die Sprache der Politik. In: Glotz, Peter, Kunert, Günter, Sozialistische Studiengruppen. Mythos und Politik. Über die magischen Gesten der Rechten. Hamburg 1985. S. 115 ff.

[15] Glotz, Peter: Die Rückkehr der Mythen (...) a. a. O. (14) S. 115.

[16] Glotz, Peter: Die Rückkehr der Mythen (...) a. a. O. (14) S. 115 ff.

[17] Kunert, Günter: Der Schlüssel zum Lebenszusammenhang. Literatur als Mythos. In: Glotz, Peter u. a.: Mythos und Politik. a. a. O. (14) S. 95.

[18] Böll, Heinrich: Engel. a. a. O. (2) S. 13.

[19] Bahner, Karl: Über Engel. In: Rahner, Karl: Schriften zur Theologie. Band XIII. Bearbeitet von Paul Imhof. Zürich 1978. S. 414.

[20] Vgl. dazu u. a. folgende Argumentation Karl Rahners: „(...) Da die Existenz von Engeln, wenn (sic!) sie gegeben sein soll, höchstens eine endliche und kreatürliche Wirklichkeit aussagt, die gar kein eigentliches Glaubensmysterium sein kann, kann diese Existenz von Engeln höchstens dann als Offenbarungsinhalt sekundärer und abgeleiteter Art verstanden werden, *wenn* (sic!) nachgewiesen werden kann, daß diese Wirklichkeit an sich natürlich erfahren wird *und* gleichzeitig doch eine solche religiöse Bedeutung hat, daß man im Ernst damit rechnen kann, daß diese Existenz eine solche Synthese mit der eigentlichen Glaubenswirklichkeit und ihrer Aussage eingehen kann, wie wir sie für einen solchen sekundären und abgeleiteten Glaubensgegenstand gefordert haben (...)" (a. a. O., 19, S. 395 f.) — Was das „Du" anbelangt, das angesprochen wird, bleibt unseres Erachtens offen, ob damit nicht auch ‚Gott' gemeint sein kann. In diesem Fall wirkt die Vermenschlichung des Engels noch provokativer, zumal dann auch die Erlösungsmöglichkeit und Erlösungswirklichkeit buchstäblich ‚auf die Erde' und hautnah auf den Menschen ‚herunterge- und -bezogen' wird.

[21] Literatur und Religion. Interview mit Johannes Poethen a. a. O. (9) S. 97 f.

[22] Literatur und Religion. Interview mit Johannes Poethen a. a. O. (9) S. 97 f.

[23] Böll, Heinrich: Engel. a. a. O. (2) S. 13.

[24] Literatur und Religion. Interview mit Johannes Poethen. a. a. O. (9) S. 97 f.

[25] Böll, Heinrich: Köln I, II, III. In: Böll, Heinrich / Staeck, Klaus: Gedichte / Collagen. a. a. O. (2) S. 14 ff., 18 f., 28 ff. S. dazu auch: Conard, Robert C.: Gedichte ohne ästhetische Konformität. In: Heinrich Böll als Lyriker. a. a. O. (4) S. 17 ff., 20 ff., 24 ff. — Ferner im gleichen Band: Rademacher, Gerhard: Bölls ‚Kölner Spaziergänge' und andere Gedichte (...) sowie ‚Auf der Suche nach der ‚urbs abscondita'. (...) (S. 56 f., 58 ff.; 79 ff.)

[26] Literatur und Religion. Interview mit Johannes Poethen. a. a. O. (9) S. 97 f.

[27] Brecht, Bertolt: Die Dialektik. In: Brecht, Bertolt: Über Lyrik. Zusammengestellt von Elisabeth Hauptmann und Rosemarie Hill. Frankfurt a. M. 1964. S. 25.

[28] Kunert, Günther: Der Schlüssel zum Lebenszusammenhang. Literatur als Mythos. a. a. O. (14) S. 95.
[29] Böll, Heinrich: Ansichten eines Clowns. Roman. Köln 1963.
[30] Böll, Heinrich: Die verlorene Ehre der Katharina Blum (. . .) a. a. O. (12).
[31] Böll, Heinrich: Köln I. Für Joseph Faßbender. In: Böll, Heinrich / Staeck, Klaus: Gedichte/Collagen. a. a. O. (2) S. 14 ff. Zu der plakativen Apostrophierung ‚subversive Madonna' s. u. a. Die subversive Madonna. Ein Schlüssel zum Werk Heinrich Bölls. Hrsg. mit einem Vorwort von Renate Matthaei. Köln 1975. Ferner: Herlyn, Heinrich: Heinrich Böll und Herbert Marcuse. Literatur als Utopie. Lampertheim 1979. Bes. S. 75 ff.
[32] Vgl. dazu Conard, Robert C.: Gedichte ohne ästhetische Konformität. In: Heinrich Böll als Lyriker. a. a. O. (4) S. 11, 15 ff.

Auswahlbibliographie

1. Primärliteratur

1.1 Gesammelte Werke, Sammel- und Auswahlbände

1. Böll, Heinrich: Werke. Hrsg. v. Bernd Balzer. 1–10.
   Köln: Middelhauve; Kiepenheuer & Witsch 1977–78.
   – 1 Romane u. Erzählungen 1947–1951.
   – 2 Romane u. Erzählungen 1951–1954.
   – 3 Romane u. Erzählungen 1954–1959.
   – 4 Romane u. Erzählungen 1961–1970.
   – 5 Romane u. Erzählungen 1971–1977.
   – 6 Hörspiele, Theaterstücke, Drehbücher, Gedichte.
   – 7 Essayist. Schriften u. Reden 1. 1952–1963.
   – 8 Essayist. Schriften u. Reden 2. 1964–1972.
   – 9 Essayist. Schriften u. Reden 3. 1973–1978.
   – 10 Interviews 1. 1961–1978.

2. Böll, Heinrich: Erzählungen, Hörspiele, Aufsätze. Köln: Kiepenheuer & Witsch 1961. 445 S. (Die Bücher d. Neunzehn. Einmalige Sonderausg.)

(74.) Unfertig ist der Mensch. Hrsg. von Heinrich Böll u. a. 1966.

(52.) UDSSR. Der Sowjetstaat und seine Menschen. Einführende Essays: Heinrich Böll u. a. 1971.

3. Sperber, Manès: Wir und Dostojewskij. Eine Debatte mit Heinrich Böll [u. a.] Hamburg: Hoffmann & Campe 1972. 103 S.

(75.) Anstoß und Ermutigung. Gustav W. Heinemann, Bundespräsident 1969–1974. Hrsg. von Heinrich Böll u. a. 1974.

4. Die Erschießung des Georg v. Rauch. Eine Dokumentation anläßl. d. Prozesse gegen Klaus Wagenbach. Heinrich Böll u. a. Berlin: Wagenbach 1976. 153 S. (Politik. Sonderbd.)

5. L 76. Demokratie und Sozialismus. Polit. u. literar. Beitr. Hrsg. von Heinrich Böll u. a. 1976–1979 Frankfurt a. M.: Europ. Verl. Anst. (Forts. u. d. T.: L 80) Heinrich Böll war Mitherausgeber der Zeitschrift von 1976 bis zu seinem Tode.

6.	Briefe zur Verteidigung der Republik. Freimut Duve, Heinrich Böll u. a. (Hrsg.) Reinbeck bei Hamburg: Rowohlt 1978. 184 S.
7.	Briefe zur Verteidigung der bürgerlichen Freiheit. Nachtr. 1978. Freimut Duve, Heinrich Böll u. a. (Hrsg.) Reinbeck bei Hamburg: Rowohlt 1979. 252 S. Nachtr. zu: Briefe zur Verteidigung der Republik. 1978.
8.	Heinrich Böll. Mein Lesebuch. Frankfurt a. M.: Fischer-Taschenbuch-Verl. 1979. 303 S.
9.	Böll, Heinrich: Das Heinrich-Böll-Lesebuch. Hrsg. von Viktor Böll. Orig.-Ausg. München: Deutscher Taschenbuch-Verlag 1982. 629 S.
(76.)	Verantwortlich für Polen? Hrsg. von Heinrich Böll u. a. 1982.
(61.)	Verteidigt die Republik. Mit Beitr. von Heinrich Böll [u. a.]. 1983.
(28.)	Niemandsland: Kindheitserinnerungen an d. Jahre 1945–1949. Heinrich Böll (Hrsg.). 1985.
10.	Böll, Heinrich: Denken mit Heinrich Böll. Gedanken über Lebenslust, Sittenwächter und Lufthändler. Mit e. Nachtr. von Alfred Andersch. Zürich: Diogenes 1986. 187 S.
(73.)	Über Phantasie. Siegfried Lenz. Gespräche mit Heinrich Böll u. a. 1986.

1.2 Einzelausgaben

1.2.1 Erzählungen, Kurzgeschichten

11.	Böll, Heinrich: Nicht nur zur Weihnachtszeit. Mit Ill. von Henry Meyer-Brockmann. Frankfurt: Frankfurter Verl.-Anst. 1952. 57 S. (Studio Frankfurt. 5.)
12.	Böll, Heinrich: Irisches Tagebuch. Köln: Kiepenheuer & Witsch 1957. 155 S.
13.	Böll, Heinrich: Doktor Murkes gesammeltes Schweigen und andere Satiren. Köln: Kiepenheuer & Witsch 1958. 157 S. (Die kleine Kiepe.)
14.	Böll, Heinrich: Erzählungen. 2. Aufl. Opladen: Middelhauve 1958. 292 S.
15.	Böll, Heinrich: Der Zug war pünktlich. (Schulausg.) Opladen: Middelhauve 1958. 127 S.

16. Böll, Heinrich: Der Bahnhof von Zimpren. Erzählungen. München: List 1959. 152 S.

17. Böll, Heinrich: Das Brot der frühen Jahre. Erzählung. Nachw. von Gerhard Joop. Berlin: Ullstein 1959. 157 S.

(2.) Böll, Heinrich: Erzählungen, Hörspiele, Aufsätze. 1961.

18. Böll, Heinrich: Als der Krieg ausbrach. Als der Krieg zu Ende war. Zwei Erzählungen. Frankfurt/M.: Insel-Verl. 1962. 55 S.

19. Böll, Heinrich: Entfernung von der Truppe. Erzählung. Köln: Kiepenheuer & Witsch 1964. 140 S.

20. Böll, Heinrich: Ende einer Dienstfahrt. Erzählung. Köln: Kiepenheuer & Witsch. 1966. 252 S.

21. Böll, Heinrich: Der Tod der Elsa Baskoleit. Mit 2 Orig.-Holzschn. v. Karl-Georg Hirsch. Memmingen/Allgäu: Visel 1972. 4 ungez. Bl. (Illustration 63. Sonderdr. 13.)

22. Böll, Heinrich: Erzählungen. 1950−1970. Köln: Kiepenheuer & Witsch. 1973. 444 S.

23. Böll, Heinrich: Die verlorene Ehre der Katharina Blum oder Wie Gewalt entstehen und wohin sie führen kann. Erzählg. 5. Aufl. München: Dt. Taschenbuch Verl. 1976. 121 S.

(1.) Böll, Heinrich: Werke. 1977−78. Bd. 1−5. Romane und Erzählungen. 1947−1977.

24. Böll, Heinrich: Du fährst zu oft nach Heidelberg. Bornheim-Merten: Lamuv-Verl. 1979. 100 S.

25. Böll, Heinrich: Was soll aus dem Jungen bloß werden? Oder Irgendwas mit Büchern. Bornheim: Lamuv-Verl. 1981. 96.

26. Böll, Heinrich: Das Vermächtnis − Erzählung. Bornheim-Merten: Lamuv-Verlag 1982. 158 S.

27. Böll, Heinrich: Mein trauriges Gesicht. Mit Graphiken von Arnulf Rainer. 1. Aufl. Bornheim-Merten: Lamuv-Verlag 1984. 31 S.

28. Niemandsland: Kindheitserinnerungen an d. Jahre 1945−1949. Heinrich Böll (Hg.) Unter Mitarb. von Jürgen Starbatty. Mit Beitr. von Peter O. Chotjewitz. Bornheim-Merten: Lamuv-Verlag. 1985. 280 S.

28 a. Böll, Heinrich: Veränderungen im Staech. Erzählungen 1962−1980. Köln: Kiepenheuer & Witsch 1984. 208 S.

28 b. Böll, Heinrich: Rendezvous mit Margret. Liebesgeschichten. Köln: Kiepenheuer & Witsch 1987. 224 S.

1.2.2 *Romane*

29. Böll, Heinrich: Wo warst du Adam. Opladen: Middelhauve 1951. 210 S.
30. Böll, Heinrich: Und sagte kein einziges Wort. Roman. Köln: Kiepenheuer & Witsch 1953. 214 S.
31. Böll, Heinrich: Haus ohne Hüter. Roman. Köln: Kiepenheuer & Witsch 1954. 323 S.
32. Böll, Heinrich: Billard um halbzehn. Roman. Köln: Kiepenheuer & Witsch 1959. 304 S.
33. Böll, Heinrich: Ansichten eines Clowns. Roman. Köln: Kiepenheuer & Witsch 1963. 303 S.
34. Böll, Heinrich: Gruppenbild mit Dame. Roman. Köln: Kiepenheuer & Witsch 1971. 400 S.
35. Böll, Heinrich: Und sagte kein einziges Wort, und Billard um halb żehn. Ill. HAP Grieshaber. Zürich: Coron-Verl. 1973. 472 S. m. Ill. (Nobelpreis f. Literatur 1972. 68. BRD.)
(1.) Böll, Heinrich: Werke. 1977–78. Bd. 1–5. Romane und Erzählungen. 1947–1977.
36. Böll, Heinrich: Fürsorgliche Belagerung. Roman. Köln: Kiepenheuer & Witsch 1979. 415 S.
37. Böll, Heinrich: Ansichten eines Clowns. Roman mit Materialien u. e. Nachw. d. Autors. Köln: Kiepenheuer & Witsch 1985. 415 S.
38. Böll, Heinrich: Frauen vor Flusslandschaft. Roman in Dialogen u. Selbstgesprächen. Köln: Kiepenheuer & Witsch 1985. 254 S.

1.2.3 *Hörspiele, Schauspiele*

39. Böll, Heinrich: Die Spurlosen. 2. Aufl. Hamburg: Hans Bredow-Institut 1958. 32 S. (Hörwerke d. Zeit. 9.)
(2.) Böll, Heinrich: Erzählungen, Hörspiele, Aufsätze. 1961.
40. Böll, Heinrich: Ein Schluck Erde. Köln: Kiepenheuer & Witsch 1962. 82 S. (Collection Theater. Texte. 3.)
41. Böll, Heinrich: Aussatz. In: Spectaculum. Bd. 15. Frankfurt: Suhrkamp 1971. S. 7–48.
(1.) Böll, Heinrich: Werke. 1977–78. Bd. 6. Hörspiele, Theaterstücke, Drehbücher, Gedichte. 1952–1978.

1.2.4 Gedichte

42. Böll, Heinrich und Klaus Staeck: Gedichte. Collagen. 3. Aufl.
     Köln: Labbé & Muta. 1976. 40 S. mit Ill. (Querheft. 1.)
43. Böll, Heinrich: Poems. Translated by Robert C. Conrad. In:
     The University of Dayton Review. Dayton, Ohio. Vol. 13,
     1976, No. 1, S. 23—44.
(1.) Böll, Heinrich: Werke. 1977—78. Bd. 6. Hörspiele, Theater-
     stücke, Drehbücher, Gedichte. 1952—1978.
44. Böll, Heinrich und Klaus Staeck: Gedichte. Collagen. 5. Aufl.
     Bornheim-Merten: Lamuv-Verl. 1980. 64 S.
45. Böll, Heinrich und Klaus Staeck: Gedichte. Collagen Erw.
     Ausg. München: Dt. Taschenbuch-Verl. 1981. 64 S.
46. Böll, Heinrich: The Poems since 1972. Translated by Robert
     C. Conrad. With Notes. In: The University of Dayton Review.
     Dayton, Ohio. Vol. 17, 1985, No. 2, S. 5—20.
47. Böll, Heinrich: Wir kommen weit her. Gedichte. Mit Collagen
     von Klaus Staeck. Nachwort von Lew Kopelew. Göttingen:
     Steidl 1986. 96 S.
47 a. Böll, Heinrich: Engel — wenn du ihn suchst. Gedichte. Hau-
     zenberg: Pongratz 1987. 44 S. (unpag.) (Edition Toni Pon-
     gratz 25)

1.2.5 Aufsätze, Essays, Reden, Berichte/Reportagen, Erinnerungen

48. Böll, Heinrich und Chargesheiner: Im Ruhrgebiet. Köln, Bonn:
     Kiepenheuer & Witsch. 1958. 38 S. 121 Abb.
(2.) Böll, Heinrich: Erzählungen, Hörspiele, Aufsätze. 1961.
49. Böll, Heinrich: Frankfurter Vorlesungen. Köln: Kiepenheuer &
     Witsch 1966. 110 S. (Essay. 7.)
50. Böll, Heinrich: Aufsätze, Kritiken, Reden. Köln: Kiepenheuer
     & Witsch 1967. 510 S.
51. Böll, Heinrich: Leben im Zustand des Frevels. Ansprache zur
     Verleihung des Kölner Literaturpreises. Berlin: Berliner Hand-
     presse 1969. 10 S. (Berliner Handpresse. Dr. 24.)
52. UDSSR. Der Sowjetstaat und seine Menschen. Einführende
     Essays. Heinrich Böll u. Valentin Katajew. 2. Aufl. Stuttgart:
     Belser 1971. XII, 308 S.
53. Böll, Heinrich: Neue politische und literarische Schriften.
     Köln: Kiepenheuer & Witsch 1973. 285 S.

54. Böll, Heinrich: Berichte zur Gesinnungslage der Nation. Köln: Kiepenheuer & Witsch 1975. 62 S.

55. Böll, Heinrich: Berichte zur Gesinnungslage der Nation. Günter Wallraff. Bericht zur Gesinnungslage des Staatsschutzes. Reinbek b. Hbg: Rowohlt 1977. 68 S.

56. Böll, Heinrich: Einmischung erwünscht. Schriften z. Zeit. Köln: Kiepenheuer & Witsch 1977. 402 S.

57. Darf ein Schriftsteller überhaupt vernünftig werden wollen? Reden von Heinrich Böll (Laudatio auf den Georg-Büchner-Preisträger Reiner Kunze) und Reiner Kunze (Rede zur Verleihung des Georg-Büchner-Preises) Frankfurt a. M.: S. Fischer 1977. 30 S.

(1.) Böll, Heinrich: Werke. 1977–78. Bd. 7–9. Essayist. Schriften und Reden. 1952–1978.

58. Böll, Heinrich: Gefahren von falschen Brüdern. Polit. Schriften. München: Dt. Taschenbuch Verl. 1980. 134 S.

(69.) Böll, Heinrich und Lew Kopelew: Warum haben wir aufeinander geschossen? 1981.

(25.) Böll, Heinrich: Was soll aus dem Jungen bloß werden? Oder irgendwas mit Büchern. 1981.

59. Böll, Heinrich: Vermintes Gelände. Essayistische Schriften 1977–1981. Köln: Kiepenheuer & Witsch 1982. 274 S.

60. Böll, Heinrich: Hierzulande: Aufsätze zur Zeit. 3. Aufl. München: Deutscher Taschenbuch-Verlag 1983. 152 S.

61. Verteidigt die Republik. Hrsg. von Klaus Staeck. Mit Beitr. von Heinrich Böll [u. a.] 2. Aufl. Göttingen: Steidl 1983. 157 S.

62. Böll, Heinrich: Ein und Zusprüche. Schriften, Reden u. Prosa 1981–1983. Köln: Kiepenheuer & Witsch 1984. 246 S.

63. Böll, Heinrich: Bild – Bonn – Boenisch. 8. Aufl. Bornheim-Merten: Lamuv-Verlag 1985. 171 S.

64. Böll, Heinrich: Die ‚Einfachheit‘ der ‚kleinen‘ Leute. München: Deutscher Taschenbuch-Verlag 1985. 225 S. (Schriften und Reden. Heinrich Böll, 1978–1981)

65. Böll, Heinrich: Es kann einem bange werden. München: Deutscher Taschenbuch-Verlag 1985. 232 S. (Schriften und Reden. Heinrich Böll, 1976–1977)

66. Böll, Heinrich: Man muss immer weitergehen. München: Deutscher Taschenbuch-Verlag 1985. 321 S. (Schriften und Reden. Heinrich Böll, 1973–1975)

(28.)   Niemandsland: Kindheitserinnerungen an die Jahre 1945—1949. Heinrich Böll (Hrsg.) 1985.

66 a.   Böll,, Heinrich: Feindbild und Frieden. München: Deutscher Taschenbuch-Verlag 1987. (Schriften und Reden. Heinrich Böll, 1982—1983)

66 b.   Böll, Heinrich: In eigener und anderer Sache. München: Deutscher Taschenbuch-Verlag 1987. 2624 S. (Schriften und Reden. Heinrich Böll, 1952—1985. Kassettenausgabe)

1.2.6 Interviews, Gespräche

67.   Böll, Heinrich: Im Gespräch. Heinrich Böll mit Heinz Ludwig Arnold. Fotos v. Renate Oesterhelt. München: Ed. Boorberg 1971. 65 S.

(3.)   Sperber, Manès: Wir und Dostojewskij. Eine Debatte mit Heinrich Böll [u. a.]. 1972.

(1.)   Böll, Heinrich: Werke. 1977—78. Bd. 10. Interviews. 1961—1978.

68.   Böll, Heinrich: Eine deutsche Erinnerung. Interviews mit René Wintzen. Köln: Kiepenheuer & Witsch 1979. 172 S.

69.   Böll, Heinrich und Lew Kopelew: Warum haben wir aufeinander geschossen? Bornheim-Merten: Lamuv Verl. 1981. 222 S.

70.   Böll, Heinrich: Lew Kopelew und Heinrich Vormweg. Antikommunismus in Ost und West. Zwei Gespräche. Köln: Bund-Verl. 1982. 124 S.

(61.)   Verteidigt die Republik. Mit Beitr. von Heinrich Böll [u. a.]. 1983.

71.   Böll, Heinrich, Lew Kopelew, Heinrich Vormweg: Antikommunismus in Ost und West. Gespräche. Ungekürzte Ausg. München: Deutscher Taschenbuch-Verlag 1984. 120 S.

72.   Böll, Heinrich und Heinrich Vormweg: Weil die Stadt so Fremd geworden ist . . . Gespräche. Bornheim-Merten: Lamuv-Verl. 1985. 144 S.

73.   Über Phantasie. Siegfried Lenz. Gespräche mit Heinrich Böll, Günter Grass, Walter Kempowski, Pavel Kohout. Hrsg. von Alfred Mensak. München: Deutscher Taschenbuch-Verl. 1986. 217 S.

1.2.7 Herausgaben

74. Unfertig ist der Mensch. Hrsg. von Heinrich Böll und Erich Kock. Eingel. von Heinrich Böll. München: Verlag Mensch u. Arbeit 1966. 211 S. (Werk u. wir. Jahresgabe 1967.)

75. Anstoß und Ermutigung. Gustav W. Heinemann, Bundespräsident 1969–1974. Hrsg. von Heinrich Böll, Helmut Gollwitzer, Carlo Schmid. Frankfurt a. M.: Suhrkamp 1974. 443 S.

(4.) Die Erschießung des Georg v. Rauch. Heinrich Böll u. a. 1976.

(5.) L 76. Demokratie und Sozialismus. Hrsg. von Heinrich Böll u. a. 1976–1985.

(6.) Briefe zur Verteidigung der Republik. Heinrich Böll u. a. (Hrsg.). 1978.

(7.) Briefe zur Verteidigung der bürgerlichen Freiheit. Heinrich Böll u. a. (Hrsg.). 1979.

(8.) Heinrich Böll. Mein Lesebuch. 1979.

76. Verantwortlich für Polen? Hrsg. von Heinrich Böll u. a. Reinbek bei Hbg: Rowohlt 1982. 212 S.

(28.) Niemandsland: Kindheitserinnerungen an die Jahre 1945–1949. Heinrich Böll (Hrsg.). 1985.

1.2.8 Übersetzungen

77. Cicellis, Kay: Kein Name bei den Leuten. Roman. (No name in the street, dt.) Aus d. Engl. v. Annemarie u. Heinrich Böll. Köln: Kiepenheuer & Witsch 1953. 256 S.

78. Horgan, Paul: Der Teufel in der Wüste. (The devil in the desert, dt.) Aus d. Amerikan. v. Annemarie u. Heinrich Böll. Olten, Freiburg i. Br.: Walter 1958. 71 S.

79. O'Crohan, Tomás: Die Boote fahren nicht mehr aus. Bericht eines irischen Fischers. (The Islandman, dt.) Aus d. Engl. v. Annemarie u. Heinrich Böll. Olten, Freiburg i. Br.: Walter 1960. 363 S.

80. Synge, John M.: Ein wahrer Held. (The playboy of the western world, dt.) Aus d. Engl. v. Annemarie u. Heinrich Böll. Köln: Kiepenheuer & Witsch 1960. 80 S.

81. Behan, Brendan: Stücke fürs Theater. Deutsche Bearbeitung von Annemarie und Heinrich Böll. Der Mann von morgen

früh (The square fellow.) Die Geisel (The hostage.) Ein Gutshaus in Irland (The big house).
Neuwied: Luchterhand 1962. 206 S.

82.   Salinger, Jerome David: Der Fänger im Roggen. Roman. (The catcher in the rye. dt.) Aus d. Amerikan. nach der 1. Übersetzung v. 1954 überarbeitet von Heinrich Böll.
Köln: Kiepenheuer & Witsch 1962. 274 S.
Dt. Bearb. v. Heinrich Böll. Leipzig: Reclam 1970. 260 S.

83.   Dillon, Eilis: Die Insel der Pferde. (The island of horses, dt.) Aus d. Engl. v. Annemarie u. Heinrich Böll.
Freiburg i. Br.: Herder 1964. 188 S.

84.   Shaw, Bernard: Caesar und Cleopatra. Histor. Drama (Caesar and Cleopatra, dt.) Deutsch v. Annemarie u. Heinrich Böll.
Frankfurt/M.: Suhrkamp 1965. 163 S. (Erstaufführung in Düsseldorfer Schauspielhaus, Dez. 1964.)

85.   Salinger, Jerome David: Neun Erzählungen. (Nine stories, dt.) Aus d. Amerikan. v. Elisabeth Schnack, Annemarie u. Heinrich Böll.
Köln: Kiepenheuer & Witsch 1966. 268 S.

86.   Shaw, George Bernard: Mensch und Übermensch. (Man and Superman, dt.) Mit d. Brief an Arthur Walkley. Dt. von Annemarie u. Heinrich Böll.
Frankfurt a. M.: Suhrkamp 1972. 323 S.

1.3 Beiträge in Periodika bzw. Sammelbänden

1.3.1 Beiträge mit regionaler Thematik

87.   Köln, eine Stadt – nebenbei eine Großstadt.
In: Kölner Leben vom 13. 9. 1953.
(Wiederabdruck: Essayist. Reden u. Schriften 1, S. 105–107.)

88.   Im Ruhrgebiet. Vorwort zu einem Fotoband von Chargesheimer.
Köln 1958.
(Wiederabdruck: Essayist. Reden u. Schriften 1, S. 226–254.)

89.   Die Stadt der alten Gesichter.
In: Der Schriftsteller Heinrich Böll. Köln 1959.
(Wiederabdruck: Essayist. Reden u. Schriften 1, S. 293–297 und: Erzählungen, Hörspiele, Aufsätze 1961, S. 404–408.)

90.   Nordrhein-Westfalen. 1960.
        Essayist. Reden u. Schriften 1, S. 329–333.
        (ohne andere Quellenangabe.)
91.   Der Rhein. 1960.
        In: Erzählungen, Hörspiele, Aufsätze 1961, S. 416–421.
        (Wiederabdruck: Essayist. Reden u. Schriften 1, S. 334–339.)
92.   Was ist kölnisch?
        In: Deutsche Zeitung (Köln) vom 18. 8. 1960.
        (Wiederabdruck: Erzählungen, Hörspiele, Aufsätze 1961,
        S. 442–425 und Essayist. Reden u. Schriften 1, S. 362–365.)
93.   Hierzulande.
        In: Labyrinth (Frankfurt), September 1960.
        (Wiederabdruck: Erzählungen, Hörspiele, Aufsätze 1961,
        S. 429–438 und Essayist. Reden u. Schriften 1, S. 366–375.)
94.   Mutter Ey. Versuch eines Denkmals in Worten.
        Gesendet vom Westdeutschen Rundfunk am 1. 1. 1961.
        (Wiederabdruck: Essayist. Reden u. Schriften 1, S. 423–450.)
95.   Heimat und keine.
        Vorwort zu „Zeit der Ruinen". Hrsg. v. H. Schmitt-Rost. Köln
        1965.
        (Wiederabdruck: Heinrich-Böll-Lesebuch 1982, S. 298–301.
96.   Raderberg, Raderthal.
        In: Atlas, Berlin 1965
        (Wiederabdruck: Essayist. Reden u. Schriften 2, S. 120–128.)
97.   Über Jürgen Becker „Felder"
        In: Neue Rundschau, Frankfurt, Januar/März 1965.
        (Wiederabdruck: Essayist. Reden u. Schriften 2, S. 153–155.)
98.   Der Rhein. Für HAP Grieshaber.
        In: Köln. Juli/September 1966.
        (Wiederabdruck: Heinrich-Böll-Lesebuch 1982, S. 325–327.)
99.   Engel.
        In: Engel der Geschichte. Stuttgart H. 4, 1967 mit dem Pseudo-
        nym Victor Hermann unter dem Titel: Engel – wenn Du ihn
        suchst.
        (Wiederabdruck: Böll/Staeck, Gedichte/Collagen 1975, S. 11.)
100   Es wäre ein Skandal für diese Stadt.
        In: Neue Ruhrzeitung (Essen) vom 14. 12. 1968, im Rahmen
        eines Berichtes der NRZ mit dem Titel „Else Lasker-Schüler.

Wie ehrt Wuppertal seine Dichterin. NRZ befragt Künstler und Politiker".
(Wiederabdruck: Essayist. Reden u. Schriften 2, S. 328.)

101. Köln I. Für Joseph Faßbender.
Sonderdruck 1968.
(Wiederabdruck: Böll/Staeck, Gedichte/Collagen 1975, S. 12—13.)

102. Köln II. Für Grieshaber.
In: Engel der Geschichte. Stuttgart. H. 12, 1969.
(Wiederabdruck: Böll/Staeck, Gedichte/Collagen 1975, S. 14—15.)

103. Pfäffische Drei-Tage-Freiheit.
In: Nobis, Mainz. Februar/März 1969.
(Wiederabdruck: Essayist. Reden u. Schriften 2, S. 359—360.)

104. Ein Satz aus der Geschichte: Der Ort war zufällig.
Gesendet vom Südwestfunk am 27. 12. 1969.
(Wiederabdruck: Essayist. Reden u. Schriften 2, S. 403—407.)

105. Vorwort zu „Köln fünf Uhr dreißig".
Für einen Fotoband von Chargesheimer, Köln 1970.
(Wiederabdruck: Essayist. Reden u. Schriften 2, S. 412—413.
Nach dem Manuskript gedruckt.)

106. Aufforderung zum „Oho"-Sagen.
In: Frankfurter Allgemeine Zeitung vom 24. 3. 1971.
(Wiederabdruck: Böll/Staeck, Gedichte/Collagen 1975, S. 17—20.)

107. Hülchrather Str. Nr. 7.
In: Köln. Juli/September 1972.
(Wiederabdruck: Essayist. Reden u. Schriften 2, S. 585—594.)

108. Köln III. Spaziergang am Nachmittag des Pfingstsonntags 30. Mai 1971.
In: Notizbuch. Hrsg. v. Heinrich Vormweg, Köln 1972.
(Wiederabdruck: Böll/Staeck, Gedichte/Collagen 1975, S. 22—36.)

109. Brokdorf und Wyhl.
In: Frankfurter Allgemeine Zeitung vom 24. 12. 1976. Antwort auf die Umfrage der FAZ „Die Fundamente unserer Gesellschaft. Haben sich unsere Wertvorstellungen verändert?".
(Wiederabdruck: Heinrich-Böll-Lesebuch 1982, S. 501—502.
Der Text wurde von der FAZ um die Schlußzeilen verkürzt, die hier nach dem Manuskript wieder hinzugefügt wurden.)

110.   Rom auf den ersten Blick. Reisen – Städte – Landschaften.
        Mit einem Vorwort von Heinrich Vormweg. (Auswahl von
        Reiseprosa)
        Bornheim-Merten: Lamuv 1987. 256 S.

1.3.2 Literar-ästhetische Beiträge

111.   Bekenntnis zur Trümmerliteratur.
        In: Die Literatur, Stuttgart, vom 15. 5. 1952.
        (Wiederabdruck: Essayist. Reden u. Schriften 1, S. 31–35.)
112.   Ernst Kreuder, 50 Jahre alt.
        In: Welt der Arbeit. Wochenzeitung des Dt. Gewerkschafts-
        bundes. Köln, vom 28. 8. 1953.
        (Wiederabdruck: Essayist. Reden u. Schriften 1, S. 100–102.)
113.   Selbstvorstellung eines jungen Autors.
        In: Allemagne d'aujourd 'hui: textes et informations sur la vie
        culturelle en Allemagne. Mayence. Oktober/November 1953
        unter dem Titel: Présentation d'un jeune auteur par hui-
        mêne.
        (Wiederabdruck: Essayist. Reden u. Schriften 1, S. 113–116.
        Druckvorlage war das deutsche Manuskript.)
114.   Der Knabe im Brunnen und der in der Mietskaserne. Über
        Siegfried Sommer „Und keiner weint nach mir" und Stefan
        Andres „Der Knabe im Brunnen".
        In: Welt der Arbeit. Wochenzeitung des Dt. Gewerkschafts-
        bundes. Stuttgart, vom 26. 3. 1954.
        (Wiederabdruck: Essayist. Reden u. Schriften 1, S. 130–132.)
115.   Literatur ohne Grenzen.
        In: Wiesbadener Kurier vom 10. 12. 1955.
        (Wiederabdruck: Essayist. Reden u. Schriften 1, S. 159–160.)
116.   Die Stimme Wolfgang Borcherts.
        Nachwort zu „Draußen vor der Tür und ausgewählte Erzäh-
        lungen". Reinbeck 1956.
        (Wiederabdruck: Essayist. Reden u. Schriften 1, S. 161–164.)
117.   Selbstkritik. 1956.
        In: Essayist. Reden u. Schriften 1, S. 165–166.
118.   Das Risiko des Schreibens.
        Gesendet vom Hessischen Rundfunk am 26. 12. 1956.
        (Wiederabdruck: Essayist. Reden u. Schriften 1, S. 203–206.)

119. Kunst und Religion.
Gesendet vom Süddeutschen Rundfunk am 12. 11. 1959.
(Wiederabdruck: Essayist. Reden u. Schriften 2, S. 318–322.)

120. Lämmer und Wölfe. Ansprache, gehalten am 25. 6. 1959 in Düsseldorf bei der Verleihung des Großen Kunstpreises des Landes Nordrhein-Westfalen für Literatur.
Erstdruck: Rheinische Post, Köln, vom 26. 6. 1959
(Wiederabdruck: Essayist. Reden u. Schriften 2, S. 313–314.)

121. Die Sprache als Hort der Freiheit. Rede, gehalten anläßlich der Entgegennahme des Eduard-von-der-Heydt-Preises der Stadt Wuppertal am 24. 1. 1959.
In: Der Schriftsteller Heinrich Böll. Köln 1959.
(Wiederabdruck: Essayist. Reden u. Schriften 1, S. 301–305.)

122. Zur Verteidigung der Waschküchen.
In: Der Schriftsteller Heinrich Böll. Köln 1959.
(Wiederabdruck: Essayist. Reden u. Schriften 1, S. 298–300.)

123. Über den Roman.
In: Die Zeit, Hamburg, vom 29. 4. 1960 unter dem Titel „Die Verantwortung des Schriftstellers ..."
(Wiederabdruck: Essayist. Reden u. Schriften 2, S. 355–357.)

124. Autoren und Schicksale. Über Karl Otten „Das leere Haus".
In: Germania Judaica: Bulletin in der Kölner Bibliothek zur Geschichte des Deutschen Judentums, Köln, 1960/61.
(Wiederabdruck: Essayist. Reden u. Schriften 2, S. 417–419.)

125. Der Schriftsteller und Zeitkritiker Kurt Ziesel. Über Kurt Ziesel, „Das verlorene Gewissen", „Die verratene Demokratie", „Die Geister scheiden sich".
In: Die Zeit, Hamburg, vom 16. 3. 1962.
(Wiederabdruck: Essayist. Reden u. Schriften 2, S. 474–482.)

126. Erklärung zur Einstellung der Zeitschrift „Labyrinth".
In: Labyrinth, Hommerich, Juni 1962. Bölls Beitrag zu der dort abgedruckten „Erklärung der Herausgeber".
(Wiederabdruck: Essayist. Reden u. Schriften 2, S. 483.)

127. Vom Mehrwert bearbeiteten Papiers.
In: Die Zeit, Hamburg, vom 29. 11. 1963.
(Wiederabdruck: Essayist. Reden u. Schriften 2, S. 557–560.)

128. Ich gehöre keiner Gruppe an.
In: Deutsche Tagespost, Würzburg, vom 27./28. 12. 1963.
(Wiederabdruck: Essayist. Reden u. Schriften 2, S. 596–598.)

129. Zu Reich-Ranickis „Deutsche Literatur in West und Ost"

In: Die Zeit, Hamburg, vom 31. 1. 1964.
(Wiederabdruck: Essayist. Reden u. Schriften 2, S. 18–20.)

130.   Angst vor der Gruppe 47?
In: Merkur, Köln, August 1965.
(Wiederabdruck: Essayist. Reden u. Schriften 2, S. 163–173.)

131.   Wort und Wörtlichkeit
Vorwort zur deutschen Übersetzung von Shaws „Cäsar und Cleopatra", Frankfurt 1965.
(Wiederabdruck: Essayist. Reden u. Schriften 2, S. 117–119.)

132.   Frankfurter Vorlesungen.
Vier Vorlesungen (am 13. 5., 27. 5., 24. 6., 8. 7. 1964) zur Poetik an der Universität Frankfurt.
Erstdruck: Köln 1966.
(Wiederabdruck: Essayist. Reden u. Schriften 2, S. 34–92.)

133.   Georg Büchners Gegenwärtigkeit. Rede zum Büchner-Preis, gehalten am 21. 10. 1967 in Darmstadt. Erstdruck: Berlin 1967.
(Wiederabdruck: Essayist. Reden u. Schriften 2, S. 276–282.)

134.   Das Ende der Bescheidenheit. Zur Situation der Schriftsteller in der Bundesrepublik Deutschland. Rede zur Gründungsversammlung des Verbandes deutscher Schriftsteller am 8. 6. 1969 im Kölner Gürzenich.
In: Frankfurter Rundschau vom 5. 7. 1969.
(Wiederabdruck: Essayist. Schriften u. Reden 2, S. 374–386.)

135.   Entfernung von der Prosa.
Programmheft des Düsseldorfer Schauspielhauses zur Uraufführung von „Der Clown" am 23. 1. 1970.
(Wiederabdruck: Essayist. Schriften u. Reden 2, S. 448–451.)

136.   Günter Wallraffs unerwünschte Reportagen. Vorwort zur schwedischen Ausgabe der „Reportagen". Stockholm 1971.
(Wiederabdruck: Essayist. Schriften u. Reden 2, S. 490–493.)

137.   Der Lorbeer ist immer noch bitter. Über Stefan Heyms Roman „Der König David Bericht".
In: Der Spiegel, Hamburg, vom 18. 9. 1972.
(Wiederabdruck: Essayist. Schriften u. Reden 2, S. 595–598.)

138.   Rede bei der Verleihung des Nobelpreises am 10. 12. 1972 in Stockholm.
Erstdruck: Neue politische und literarische Schriften. Köln 1972.
(Wiederabdruck: Essayist. Schriften und Reden, S. 621–623.)

139.   Versuch über die Vernunft der Poesie.
Nobelvorlesung, gehalten am 2. Mai 1973 in Stockholm.
Erstdruck: Frankfurter Allgemeine Zeitung vom 3. 5. 1973 (auszugsweise).
(Wiederabdruck: Essayist. Schriften u. Reden 3, S. 34—50.)

140.   Zum Tode Ingeborg Bachmanns.
In: Der Spiegel, Hamburg, vom 22. 11. 1973 unter dem Titel „Ich denke an sie wie an ein Mädchen".
(Wiederabdruck: Essayist. Schriften u. Reden 3, S. 62—64.)

141.   Wir sind machtlos, wir Autoren, aber ohnmächtig sind wir nicht.
In: Neue Züricher Zeitung vom 6. 7. 1977. Antwort auf den Offenen Brief von Wiktor Woroszylskis an Heinrich Böll, aus dem die NZZ am 4. 7. 1977 einige Passagen unter dem Titel „Berufsverbote für nonkonformistische Schriftsteller in Polen" abdruckte.
(Wiederabdruck: Essayist. Schriften u. Reden 3, S. 457—458.)

142.   Für wen ich schreibe.
In: Konkret, Hamburg, vom 30. 3. 1978. Antwort auf den Offenen Brief Dorothee Sölles „Für wen schreibst Du, Hein?" in Konkret vom 23. 2. 1978.

Anhang

1.4 Literarisches Umfeld*

1.4.1 Jürgen Becker (Jahrgang 1932)

143.   Becker, Jürgen: Das Ende der Landschaftsmalerei. Gedichte
Frankfurt: Suhrkamp 1974. 120 S.

144.   Becker, Jürgen: Umgebungen.
Frankfurt: Suhrkamp 1974. 170 S.

145.   Becker, Jürgen: Erzähl mir nichts vom Krieg. Gedichte.
Frankfurt: Suhrkamp 1977. 100 S.

146.   Becker, Jürgen: In der verbleibenden Zeit. Gedichte.
Frankfurt: Suhrkamp 1979. 120 S.

---

* Hier wird nur eine beispielhafte Auswahl an Autoren aus dem engeren (Kölner) literarischen Umfeld, nicht aus dem literarischen Umfeld insgesamt aufgeführt.

147.   Becker, Jürgen: Erzählen bis Ostende.
         Frankfurt: Suhrkamp 1981. 160 S.
148.   Becker, Jürgen: Gedichte 1965–1980.
         Frankfurt: Suhrkamp 1981. 189 S.
149.   Becker, Jürgen: Die Abwesenden. Hörspiele.
         Frankfurt: Suhrkamp 1983.
150.   Becker, Jürgen: Die Türe zum Meer.
         Frankfurt: Suhrkamp 1983. 128 S.
151.   Becker, Jürgen: Odenthals Küste. Gedichte.
         Frankfurt: Suhrkamp 1986. 150 S.

1.4.2 Hans Bender (Jahrgang 1919)

152.   Bender, Hans (Hrsg.): Mein Gedicht ist mein Messer. Lyriker
         zu ihren Gedichten. (1. Aufl. 1955) 2., erw. Aufl. München:
         List 1961. 171 S.
153.   Bender, Hans: Das wiegende Haus. Erzählungen.
         Stuttgart: Reclam 1968. 70 S.
154.   Bender, Hans: Worte, Bilder, Menschen. Geschichten, Roman,
         Bericht, Aufsätze.
         München: Hanser 1969. 424 S.
155.   Bender, Hans (Hrsg.): In diesem Lande leben wir.
         Eine Anthologie in zehn Kapiteln.
         München: Hanser 1978. 312 S.
156.   Bender, Hans: Einer von ihnen. Aufzeichnungen einiger
         Tage.
         München: Hanser 1979. 104 S.
157.   Bender, Hans (Hrsg.): Das Insel-Buch der Gärten. Ausgewählt
         von H. B.
         Frankfurt: Insel 1985. 300 S.
158.   Bender, Hans (Hrsg.): Spiele ohne Ende. Erzählungen aus
         hundert Jahren.
         Frankfurt: Fischer 1986. 846 S.
159.   Bender, Hans (Hrsg.): Die vier Jahreszeiten-Bücher. Gedichte
         und Prosa. 4 Bände.
         Frankfurt: Insel 1986. 1000 S.
160.   Bender, Hans: Bruderherz. Erzählungen.
         München: Hanser 1987. 141 S.

1.4.3 Lew Kopelew (Jahrgang 1912)

161. Kopelew, Lew: Zwei Epochen deutsch-russischer Literaturbeziehungen. Zwei Essays.
Frankfurt: S. Fischer 1973. 94 S.

162. Kopelew, Lew: Aufbewahren für alle Zeit. Nachw. von Heinrich Böll.
Hamburg: Hoffmann & Campe 1976. 617 S.

163. Kopelew, Lew: Verwandt und verfremdet. Essays zur Literatur der Bundesrepublik und der DDR.
Frankfurt: S. Fischer 1976. 155 S.

164. Kopelew, Lew: Verbietet die Verbote. In Moskau auf der Suche nach der Wahrheit. Vorwort von Max Frisch.
Hamburg: Hoffmann & Campe 1977. 124 S.

165. Kopelew, Lew: Und schuf mir einen Götzen. Lehrjahre eines Kommunisten.
Hamburg: Hoffmann & Campe 1979. 412 S.

166. Kopelew, Lew: Ein Dichter kam vom Rhein. Heinrich Heines Leben und Leiden.
Berlin: Severin & Siedler 1981. 512 S.

167. Kopelew, Lew: Tröste meine Trauer. Autobiographie 1947–1954.
Hamburg: Hoffmann & Campe 1981. 412 S.

168. Kopelew, Lew: Worte werden Brücken. Aufsätze, Vorträge, Gespräche 1980–1985.
Hamburg: Hoffmann und Campe 1985. 253 S.

169. Kopelew, Lew: Der Wind weht, wo er will. Gedanken über Dichter.
Hamburg: Hoffmann und Campe 1987. ca. 320 S.

1.4.4 Paul Schallück (1922–1976)

170. Schallück, Paul: Wenn man aufhören könnte zu lügen.
Opladen: Middelhauve 1951. 270 S.

171. Schallück, Paul: Ankunft null Uhr zwölf. Roman.
Frankfurt/M.: S. Fischer 1953. 402 S.

172. Schallück, Paul: Die unsichtbare Pforte. Roman.
Frankfurt/M.: S. Fischer 1954. 243 S.

173.   Schallück, Paul: Engelbert Reinecke. Roman.
        Frankfurt/M.: Fischer 1959. 197 S.
174.   Schallück, Paul: Don Quichotte in Köln. Roman.
        Frankfurt/M.: S. Fischer 1967. 350 S.
175.   Schallück, Paul: Orden. Satiren (Die Original-Linolschnitte
        sind von Wolfgang Jörg und Erich Schönig.)
        Berlin: Hessling 1967. 22 Bl. (Berliner Handpresse. Dr. 15.)
        Exemplar Nr. 235/300.
176.   Schallück, Paul: Dein Bier und mein Bier. Monolog und Brie-
        fe.
        Leverkusen: Literarischer Verl. Braun 1976. 75 S.
177.   Schallück, Paul: Bekenntnisse eines Nestbeschmutzers. Erzäh-
        lungen.
        Köln: Literarischer Verl. Braun 1977. 335 S.(Gesamtwerk.
        Bd. 6.) (Rückblick. 9.)

1.4.5 Heinrich Vormweg (Jahrgang 1928)

178.   Vormweg, Heinrich: Hieb und Stich. Deutsche Satire in 300
        Jahren. 483 S.
        Köln: Kiepenheuer & Witsch 1968.
179.   Vormweg, Heinrich: Die Wörter und die Welt. Über neue Lite-
        ratur.
        Neuwied: Luchterhand 1968. 148 S.
180.   Heißenbüttel, Helmut und Heinrich Vormweg: Briefwechsel
        über Literatur.
        Neuwied: Luchterhand 1969. 97 S.
181.   Vormweg, Heinrich: Neue Literatur und Gesellschaft. Eine
        Theorie der gesellschaftlichen Funktion experimenteller Litera-
        tur.
        Mainz: Verlag d. Akademie d. Wiss. u. d. Literatur 1971. 23 S.
        (Abhandlungen d. Akad. d. Wiss. u. d. Literatur. Kl. d. Lit.
        1971/72, 1)
182.   Vormweg, Heinrich: Eine andere Leseart. Über neue Litera-
        tur.
        Neuwied: Luchterhand 1972. 209 S.
183.   Vormweg, Heinrich: Schreiben und Leben.
        Wiesbaden: Steiner 1983. 12 S. (Abhandl. d. Akad. d. Wiss. u.
        Lit.-Klasse d. Lit. 1983/3)

184.   Vormweg, Heinrich: Das Elend der Aufklärung. Über ein Di-
        lemma in Deutschland.
        Neuwied: Luchterhand 1984. 132 S.
185.   Vormweg, Heinrich: Peter Weiß.
        München: Beck 1981. 136 S. (Becks Autorenbücher 21)
186.   Vormweg, Heinrich: Günter Grass.
        Reinbek: Rowohlt 1986. 143 S. (rororo Monographie 359)

1.4.6 Günter Wallraff (Jahrgang 1942)

187.   Wallraff, Günter: 13 unerwünschte Reportagen. Die aufsehe-
        nerregenden Berichte aus dem nichtöffentlichen Deutsch-
        land.
        Köln: Kiepenheuer & Witsch 1969. 274 S. (pocket. 7.)
188.   Wallraff, Günter: Neue Reportagen, Untersuchungen, Lehr-
        beispiele.
        Köln: Kiepenheuer & Witsch 1972. 180 S. (pocket. 34.)
189.   Wallraff, Günter und Jens Hagen: Was wollt ihr denn, ihr lebt
        ja noch. Chronik einer Industrieansiedlung.
        Reinbek b. Hbg.: Rowohlt 1975. 173 S.
190.   Wallraff, Günter: Die Reportagen.
        Köln: Kiepenheuer & Witsch 1976. 610 S.
191.   Wallraff, Günter: Der Aufmacher. Der Mann, der bei Bild
        Hans Esser war.
        Köln: Kiepenheuer & Witsch 1977. 240 S.
192.   Wallraff, Günter und Bernd Engelmann: Ihr da oben, wir da
        unten. Erw. Sonderausg.
        Köln: Kiepenheuer & Witsch 1977. 416 S.
193.   Wallraff, Günter: Industriereportagen. Als Arbeiter in deut-
        schen Großbetrieben.
        Reinbek bei Hamburg: Rowohlt 1977. 117 S.
194.   Wallraff, Günter und Roland Gall. Von einem der auszog und
        das Fürchten lernte.
        Frankfurt: 2001. 1979. 183 S. (Uraufführung: Landestheater
        Tübingen, 7. 6. 1974. Regie: Manfred Beilharz)
195.   Wallraff, Günter: Zeugen der Anklage. Die ‚Bild'-Beschrei-
        bung wird fortgesetzt.
        Köln: Kiepenheuer & Witsch 1979. 260 S.

196. Wallraff, Günter: Das Bild-Handbuch bis zum Bildausfall.
Hamburg: Konkret-Literatur-Verl. 1981. 238 S.
197. Wallraff, Günter: Nachspiele. Szenische Dokumentation.
Bielefeld: Pendragon-Verlag 1982. 94 S.
198. Wallraff, Günter und Heinrich Hannover: Die unheimliche Republik: politische Verfolgung in der Bundesrepublik Deutschland.
Hamburg: VSA-Verlag 1982. 222 S.
199 Wallraff, Günter: Nicaragua von innen.
Hamburg: Konkret-Literatur-Verl. 1983. 200 S.
200. Wallraff, Günter: Befehlsverweigerung.
Köln: Kiepenheuer & Witsch 1984. 384 S. (Kiwi 66.)
201. Wallraff, Günter: Bericht von Mittelpunkt der Welt.
Köln: Kiepenheuer & Witsch 1984. 320 S. (Kiwi 67.)
202. Wallraff, Günter: Bild-Störung: ein Handbuch.
Köln: Kiepenheuer & Witsch 1985. 240 S.
203. Wallraff, Günter: Ganz unten.
Köln: Kiepenheuer & Witsch 1985. 255 S.
204. Wallraff, Günter: Predigt von unten.
Göttingen: STeidl 1986. 194 S.
205. Wallraff, Günter: Neue Reportagen, Untersuchungen und Lehrbeispiele.
Köln: Kiepenheuer & Witsch 1986. 192 S. (Neuausgabe)
206. Wallraff, Günter: Vom Ende des Eiszeit und wie man Feuer macht. Aufsätze, Kritiken, Reden.
Köln: Kiepenheuer & Witsch 1987. ca. 208 S.

1.4.7 Dieter Wellershoff (Jahrgang 1925)

207. Wellershoff, Dieter: Anni Nabels Boxschau.
Köln: Kiepenheuer & Witsch 1962. 102 S. (Collection Theater. Texte. 9.)
208. Wellershoff, Dieter: Literatur und Veränderung. Versuche zu einer Metakritik der Literatur.
Köln: Kiepenheuer & Witsch 1969. 188 S.
209. Wellershoff, Dieter: Die Schattengrenze. Roman.
Köln: Kiepenheuer & Witsch 1969. 284 S.
210. Wellershoff, Dieter: Einladung an alle. Roman.
Köln: Kiepenheuer & Witsch 1972. 266 S.

98

211. Wellershoff, Dieter: Literatur und Lustprinzip. Essays.
Köln: Kiepenheuer & Witsch 1973. 160 S. (Pocket. 47.)

212. Wellershoff, Dieter: Doppelt belichtetes Seestück und andere Texte.
Köln: Kiepenheuer & Witsch 1974. 303 S.

213. Wellershoff, Dieter: Die Auflösung des Kunstbegriffs.
Frankfurt: Suhrkamp 1976. 142 S.

214. Wellershoff, Dieter: Die Schönheit des Schimpansen. Roman.
Köln: Kiepenheuer & Witsch 1977. 312 S.

215. Wellershoff, Dieter: Glücksucher. 4 Drehbücher und begleitende Texte.
Köln: Kiepenheuer & Witsch 1979. 335 S.

216. Wellershoff, Dieter: Die Sirene. Eine Novelle.
Köln: Kiepenheuer & Witsch 1980. 216 S.

217. Wellershoff,Dieter: Der Sieger nimmt alles. Roman.
Köln: Kiepenheuer & Witsch 1983. 528 S.

218. Wellershoff, Dieter: Die Arbeit des Lebens: autobiogr. Texte.
Köln: Kiepenheuer & Witsch 1985. 276 S.

219. Wellershoff, Dieter: Die Körper und die Träume.
Köln: Kiepenheuer & Witsch 1986.

220. Wellershoff, Dieter: Flüchtige Bekanntschaften. Drei Drehbücher und begleitende Texte.
Köln: 1987. 208 S.

221. Wellershoff, Dieter: Wahrnehmung und Phantasie. Essays zur Literatur.
Köln: Kiepenheuer & Witsch 1987. 240 S.

2. Sekundärliteratur

2.1 Bibliographien

1. Der Schriftsteller Heinrich Böll. Ein biogr.-bibliogr. Abriss. (Hrsg. von Ferdinand Melius. Veröff. auf Anregung d. Stadt Wuppertal anl. d. Verleihung d. „Eduard-von-der Heydt-Preises" an Heinrich Böll.) Mit Bildn.
Köln: Kiepenheuer & Witsch. 1959. 111 S.

2. Nobbe, Annemarie: Heinrich Böll. Eine Bibliographie s. Werke u. d. Literatur über ihn.
Köln Greven 1961. 57 S. (Bibliograhische Hefte. 3.)

3. Der Schriftsteller Heinrich Böll. Ein biogr.-bibliogr. Abriß. (3.,
    berichtigte u. erg. Aufl.)
    Köln: Kiepenheuer & Witsch 1962. 144 S.
4. Das Werk Heinrich Bölls. 1949—63. 2. Aufl.
    Dortmund: Städt. Volksbücherei 1963. 82 S. (Dichter und Den-
    ker unserer Zeit. Bücherverzeichnis. Reihe F. Bd. 22.)
5. Martin, Werner: Heinrich Böll. Eine Bibliogr. s. Werke
    Hildesheim: Olms 1975. 236 S. (Bibliographien z. dt. Literatur.
    2.)
6. Der Schriftsteller Heinrich Böll. Ein biogr.-bibliogr. Abriß. Neu
    hrsg. v. Werner Lengning. 5. überarb. Aufl.
    München: Dt. Taschenbuch-Verl. 1977. 355 S.

2.2 Leben und.Gesamtwerk

7. Ziolkowski, Theodore: Albert Camus and Heinrich Böll.
    In: Modern Language Notes. Baltimore, Md. 77 (1962), No. 3,
    S. 282—291.
8. Morreale, Maria Teresa: Heinrich Böll. Anticonformistica Ri-
    cerca della Persona.
    In: Labor. Palermo. 5 (1964), No. 4, S. 3—11.
9. Stresau, Hermann: Heinrich Böll.
    Berlin: Colloquium Verl. 1964. 93 S. (Köpfe des 20. Jahrhun-
    derts. Bd. 35.)
10. Hoffmann, Léopold: Heinrich Böll. Einf. in Leben u. Werk.
    Luxemburg: St. Paulus-Dr. 1965. 84 S.
11. Korlén, Gustav: Heinrich Böll aus schwedischer Sicht.
    In: Moderna Sprak. The Journal of the Modern Language Te-
    achers Association of Sweden. Stockholm. 61. 1967,
    S. 374—379.
12. Schwarz, Wilhelm Johannes: Der Erzähler Heinrich Böll. Seine
    Werke u. Gestalten.
    Bern: Francke 1967. 129 S.
13. Heinrich Böll. Fotografiert v. Chargesheimer [d. i. Karl Har-
    gesheimer, u. a.] Texte: Ulrich Blank.
    Bad Godesberg: Hohwacht-Verl. 1968. 47 S. (Autorenbilder.)
14. In Sachen Böll. Ansichten u. Aussichten. Hrsg. von Marcel
    Reich-Ranicki.
    Köln: Kiepenheuer & Witsch 1968. 347 S.

15.   Kurz, Paul Konrad: Heinrich Böll. Nicht versöhnt.
       In: Stimmen der Zeit.
       Freiburg: 187 (1971), H. 2, S. 88–97.
16.   Glade, Henry: Soviet Views of Heinrich Böll.
       In: arcadia. Zeitschrift für vergleichende Literaturwissen-
       schaft.
       Berlin: 7 (1972), H. 1, S. 65–73.
17.   Heinrich Böll.
       München: Boorberg 1972. 55 S. (Text u. Kritik. 33.)
18.   Penna, Rose E.: Tema y estilo en un cuento de Heinrich Böll.
       In: Boletin de estudios germanicos.
       Buenos Aires, 9 (1972), S. 171–182.
19.   Conard, Robert C.: Report on the Böll Archive at the Boston
       University Library.
       In: The Universitäy of Dayton Review.
       Dayton, Ohio. Vol. 10, 1973. No. 2, S. 11–14.
20.   Hell, Victor: Littérature et société en allemagne l'exemple de
       Heinrich Böll.
       In: Revue d'Allemagne. Littêrature en R. F. A., Paris 5 (1973),
       No. 1, S.66–80.
21.   Castelli, Ferdinando: Heinrich Böll. Vagabondo tra le Macerie.
       In: La civiltà cattolica, Rom, 125 (1974), H. 4, S. 141–152.
22.   Chinsano, Italo A.: Heinrich Böll.
       Bologna: steb-azzoguidt 1974. 135 S. (Il castoro. 90.)
23.   Böll in Reutlingen. Eine demoskopische Untersuchung zur
       Verbreitung eines erfolgreichen Autors.
       In : Literatur und Leser. Theorien und Modelle zur Rezeption
       literarischer Werke. Hrsg. von Gunter Grimm.
       Stuttgart: Reclam 1975, S. 240–271.
24.   Heinrich Böll. Unters. z. Werk. Hrsg. v. Manfred Jurgensen.
       Bern: Francke (1975), 182 S.
       (Queensland Studies in German language and literature. 5.)
25.   Heinrich Böll. Eine Einführung in das Gesamtwerk in Einze-
       linterpretationen. Hanno Beth (Hrsg.)
       Kronberg/Ts.: Scriptor Verl. 1975. XI, 214 S.
(135) Jeziorkowski, Klaus: Heinrich Böll. Die Syntax des Humanen.
       1975.
26.   Lykke, Nina und Hanne Mœller: Heinrich Böll. Der Geist
       geistloser Zustände.
       In: Text & Kontext, Kopenhagen. 3 (1975), H. 2, S. 49–76.

27. Die subversive Madonna. Ein Schlüssel z. Werk Heinrich Bölls. Hrsg. u. mit e. Vorw. v. Renate Matthaei. Köln: Kiepenheuer & Witsch 1975. 158 S. (Pocket. 59.)

28. Kopelew, Lew: Why Boll is One uf Us. In: The University of Dayton Review. Dayton, Ohio. Vol. 13, 1976, No. 1, S. 3—8.

29. Naegele, Rainer: Heinrich Böll. Einf. in d. Werk u. in d. Forschung. Frankfurt a. M.: Athenäum-Fischer-Taschenb.-Verl. 1976. 209 S.

30. Balzer, Bernd: Heinrich Bölls Werke. Anarchie und Zärtlichkeit. Köln: Kiepenheuer & Witsch 1977. 128 S.

31. Linder, Christian: Böll. Reinbek b. Hbg.: Rowohlt 1978. 224 S. mit Ill. (Das neue Buch. 109.)

32. Vogt, Jochen: Heinrich Böll. München: edition text und kritik 1978. 160 S. (Autorenbücher 12.)

33. White, Ray Lewis: Heinrich Böll in America, 1954—1970. Hildesheim, New York: Olms 1979. 170 S. Germanistische Texte u. Studien. 8.)

34. Bruhn, Peter und Henry Glade. Heinrich Böll in der Sowjetunion. 1952—1979. Einf. in d. sowjet. Böll-Rezeption u. Bibliogr. d. in d. UdSSR in russ. Sprache ersch. Schriften v. u. über Heinrich Böll. Berlin: E. Schmidt 1980. 176 S.

35. Heinrich Böll. Eine Einführung in das Gesamtwerk in Einzelinterpretationen. Hanno Beth (Hrsg.) 2. überarb. u. erw. Aufl. Königstein/Ts.: Scriptor Verl. 1980. XI, 255 S.

36. Ziltener, Walter: Die Literaturtheorie Heinrich Bölls. Bern: P. Lang 1980. II, 247 S. Zugl. Diss. 1978. (Europäische Hochschulschriften. R. 1. 369.)

37. Heinrich Böll, By Robert C. Conard. Twayne Publishers. (Twayne's world authors series. Germany.) Boston: G. K. Hall & Co. 1981. 228 p.

38. Heinrich Böll. 3. Aufl., Neufassg. München: Text u. Kritik 1982. 156 S. (Text u. Kritik. 33.)

39. Ziltener, Walter: Heinrich Böll und Günter Grass in den USA.

Tendenzen der Rezeption.
Bern u. a.: Lang 1982. 108 S.
(Europäische Hochschulschriften: Reihe 1, Dt. Sprache u. Literatur; Bd. 537)

40. Zu Heinrich Böll. Hrsg. von Anna Maria dell'Agli.
Stuttgart: Klett 1983. 182 S.
(Literaturwissenschaft-Gesellschaftswissenschaft; 65; LGW-Interpretationen)

41. Salyámosy, Miklós: Heinrich Böll.
Budapest: Gondolat 1984. 202 S.

42. Schaller, Thomas: Die Rezeption von Heinrich Böll und Günter Grass im Spiegel der Unterrichtspraxis an höheren amerikanischen Bildungsinstitutionen.
Bowling Green, OH. 1984. 122 S. Bowling Green State Univ., Master of Arts., maschinenschriftl. vervielf.

43. Glade, Henry: Heinrich Böll in the Soviet Union 1973–1984.
In: The University of Dayton Review. Dayton, Ohio. Vol. 17, 1985, No. 2, S. 71–75.

44. Heinrich Böll. Zu seinem Tode. Ausgewählte Nachrufe und das letzte Interview.
Bonn: Inter Nationes 1985. 63 S.

45. Heinrich Böll. On his Death. Selected Obituaries and the Last Interview.
Bonn: Inter Nationes 1985. 63 S.

46. Heinrich Böll. A l'occasion de sa mort. Choix d'articles nécrologiques et le dernier interview.
Bonn: Inter Nationes 1985. 63 S.

47. Heinrich Böll. Sonderheft. Mit Beitr. von Heinrich Vormweg, Dorothee Sölle, Willy Brandt u. a.
In: L'80. Zeitschrift für Literatur und Politik. Berlin. 36 (1985). S. 13–85.

48. Janssen, Werner: Der Rhythmus des Humanen bei Heinrich Böll. „. . . die Suche nach einer bewohnbaren Sprache in einem bewohnbaren Land".
Frankfurt: Lang 1985. 223 S.
(Europäische Hochschulschriften. R. 1, Deutsche Sprache und Literatur. Bd. 802)

49. Heinrich Böll. Ein Werk überwindet Grenzen. Katalog zur Ausstellung im Staatlichen Literaturmuseum in Moskau

28. Juni − 27. Juli 1986.
Hrsg. von der Stadt Köln. Köln 1986. 36 S.

50. Linder, Christian: Heinrich Böll. Lesen und Schreiben 1917−1985.
Köln: Kiepenheuer & Witsch 1986. 260 S.

51. Reich-Ranicki, Marcel: Mehr als ein Dichter. Über Heinrich Böll.
Köln: Kiepenheuer & Witsch 1986. 122 S.

52. Schröter, Klaus: Heinrich Böll. Mit Selbstzeugnissen und Bilddokumenten.
Hamburg: Rowohlt 1985. 151 S.

53. Vogt, Jochen: Heinrich Böll. Zweite neubearbeitete Auflage.
München: Beck 1987. 192 S. (Autorenbücher)

53a. Heinrich Böll. Leben und Werk. (70. Geburtstag am 21. Dezember 1987. Red.: René Böll [u. a.]) −
(Köln: Kiepenheuer & Witsch; Bornheim-Merten: Lamuv-Verlag; München: Dt. Taschenbuch Verlag 1987) 48 S. mit zahlr. Abb.

53b. Erzähler, Rhetoriker, Kritiker: Zum Vermächtnis Heinrich Bölls. Von Wilhelm Gössmann, Werner Ross, Heinrich Vormweg, Klaus H. Roth. Vorwort von Wolfgang Isenberg. Bensberg: Thomas-Morus-Akademie 1987. 1987. 135 S. (Bensberger Protokolle)

53c. Kemper, Gisa: Heinrich Böll − Gebundenheit und Fortschreibung. Frühe Erzählungen, Frankfurter Vorlesung und literatursoziologische Aspekte.
Heidelberg 1987, 80 S., Heidelberg, Univ., Magisterarbeit, maschinenschriftl. vervielfältigt.

53d. Wirth, Günter: Bölls Texte der Weltliteratur in: Neue deutsche Literatur 35 (1987) H. 12. S. 145−151.

2.3 Einzelne Aspekte des Gesamtwerks (= strukturell, thematisch/motivisch, fachübergreifend)

54. Plard, Henri: La guerre et l'après-guerre dans le récits de Heinrich Böll. In: Europe. Art et littérature.
Brüssel. 1957. H. 2. S. 1 ff.
Erw. deutsche Fassung: Mut und Bescheidenheit. Krieg und

Nachkrieg im Werk Heinrich Bölls. In: Der Schriftsteller Heinrich Böll. Hrsg. von W. Lengning. 5. Aufl. 1977 S. 51 ff.

55.   Freitas e Silva Melo, Maria Adélia: O homem e a guerra na obra de Heinrich Böll.
Lisboa 1959. 113 S.
Lisboa, Univ., Fac. de Letras, Diss. maschinenschriftl. vervielfältigt.

56.   Beckel, Albrecht: Mensch, Gesellschaft, Kirche bei Heinrich Böll. Mit e. Beitr. v. Heinrich Böll: Interview mit mir selbst.
Osnabrück: Fromm 1966. 109 S.
(Zeitnahes Christentum. Bd. 39.)

57.   Reid, James H.: Time in the works of Heinrich Böll. In: Modern Language Review. London, Cambridge, 62 (1967), No. 3, S. 476–485.

58.   Wirth, Günter: Heinrich Böll. Essayistische Studie über religiöse und gesellschaftliche Motive im Prosawerk des Dichters.
Berlin: Union-Verl. 1967. 235 S.

59.   Jeziorkowski, Klaus: Rhythmus und Figur. Zur Technik d. epischen Konstruktion in Heinrich Bölls „Der Wegwerfer" u. „Billard um halbzehn".
Bad Homburg: Gehlen 1968. 269 S. (Ars poetica. Studien. Bd. 6)

60.   Kurz, Paul Konrad: Heinrich Böll. Die Denunziation des Kriegs und der Katholiken.
In: Stimmen der Zeit. Freiburg. 187 (1971), H. 1, S. 17–30.

61.   Tsernaia, L.: Ve sang tao cua Heinrich Bolo.
In: Tu liên. Phong nghien. No. 2, 1972, S. 83–91.
(in vietnamesischer Sprache)

62.   Burns, Robert A.: The Theme of Non-Conformism in the Work of Heinrich Böll.
Coventry: University of Warwick 1973. 87 S.
(Occasional Papers in German Studies. No. 3)

63.   Conard, Robert C.: The Humanity of Heinrich Böll. Love and Religion.
In: Boston University Journal. Boston, Mass. 21 1973. No. 1, S. 35–42.

64.   Goette, Ernst: Heinrich Böll, das politische Engagement des Schriftstellers. Einführung in Leben und Werk Essay „über mich selbst".

In: Erziehungswissenschaft und Beruf. Vierteljahresschrift für Berufspädagogik. Rinteln. 21 (1973), H. 4, S. 376—384.

65.   Grothe, Wolfgang: Biblische Bezüge im Werk Heinrich Bölls. In: Studia Neophilologica. A Journal of Germanic and Romance Philology. Vol. 45, 1973, No. 2, S. 306—322.

66.   Pickett, Th. H.: Heinrich Böll's Plea for Civilization. In: Southern. Humanities Review, Auburn, 7 (1973), No. 1, S. 1—9.

67.   Thorell, Bengt: Heinrich Böll och Kriget. In: Credo. Katolsk Tidskrift. Uppsala, 54 (1973), Nr. 5, S. 196—208.

68.   Thorell, Bengt: Heinrich Bölls problem. In: Credo. Katolsk Tidskrift. Uppsala, 54 (1973), Nr. 3/4, S. 138—146.

69.   Withcomb, Richard O.: Heinrich Böll and the Mirror-Image Technique. In: The University of Dayton Review. Dayton, Ohio, Vol. 10. 1973. No. 2, S. 41—46.

70.   Goette, Ernst: Heinrich Böll. Das politische Engagement des Schriftstellers 2. Teil. In: Erziehungswissenschaft und Beruf. Vierteljahresschrift für Berufspädagogik. 22 (1974), H. 1, S. 72—82.

71.   Goette, Ernst: Heinrich Böll. Das politische Engagement des Schriftstellers. 3. Teil. In: Erziehungswissenschaft und Beruf. Vierteljahresschrift für Berufspädagogik. Rinteln 22 (1974), H. 3., S. 311—320.

72.   Hornung, Werner: Heinrich Böll und sein Parodist. In: Neue Rundschau, Frankfurt. 85 (1974), H. 4, S. 696—699.

73.   Jeziorkowski, Klaus: Heinrich Böll als politischer Autor. In: The University of Dayton Review. Dayton, Ohio Vol. 11, No. 2, 1974, S. 41—50.

74.   Moling, Heinrich: Heinrich Böll, eine christliche Position? Zürich: Juris Druck u. Verl. 1974. 306 S.

75.   Bernáth, Arpád, Károly Csuri und Zoltán Kanyó: Texttheorie und Interpretation. Unters. zu Gryphius, Borchert u. Böll. Kronberg/Ts.: Scriptor-Verl. 1975. 266 S. (Theorie, Kritik, Geschichte. 9.)

76.   Stiebert, Klaus: Probleme kritisch-realistischen Erzählens bei Heinrich Böll. Rezeption englischer, irischer, und amerikani-

scher Literatur und ihre Bedeutung für die Entwicklung des Werks.
Leipzig 1975. 314 S. Univ. Leizpig, Sekt. Kulturwiss. u. Germanistik, Diss., maschinenschriftl. vervielfältigt.

77.   Ley, Ralph J.: Heinrich Böll's Other Rhineland.
       In: The University of Dayton Review. Dayton, Ohio, Vol. 13, 1976, No. 1, S. 45—73.

78.   Pilters, Michaela: Das Priesterbild in der modernen Literatur. Eine Darstellung am Beispiel der Werke Heinrich Bölls.
       München 1977. 93 S. Univ. München, Diplomarbeit im Fachbereich Kath. Theol., maschinenschriftl. vervielfältigt.

79.   Schnedl-Bubeniček, Hanna: Relationen zur Verfremdung des Christlichen in Literarischen Texten der Gegenwart.
       Salzburg 1977. 283 S. Univ. Salzburg, Geisteswiss. Fak., Diss., maschinenschriftl. vervielfältigt.

80.   Vierstraete, Jan: Heinrich Böll und die Baader-Meinhof-Gruppe oder Die bösen Erfahrungen eines Dichters ohne Elfenbeinturm.
       Brüssel 1977. 98 S. Univ. Brüssel, Philos. Fakl., Staatsexamensarbeit, maschinenschriftl. vervielfältigt.

81.   Monico, Marco: Das Kind und der Jugendliche bei Heinrich Böll. Eine literarisch-psychologische Untersuchung.
       Zürich: Zentralstelle der Studentenschaft 1978. 181 S. Zugl. Diss., Zürich, Univ., Philos. Fak.

82.   Müller-Schwefe, Hans-Rudolf: Sprachgrenzen. Das sogenannte Obszöne, Blasphemische und Revolutionäre bei Günter Grass und Heinrich Böll.
       München: Pfeiffer 1978. 214 S.

83.   Warnach, Walter: Heinrich Böll und die Deutschen.
       In: Frankfurter Hefte. Zeitschrift für Kultur und Politik. Frankfurt. 33 (1978), H. 7, S. 51—62.

84.   Herlyn, Heinrich: Heinrich Böll und Herbert Marcuse. Literatur als Utopie.
       Lampertheim: Kübler 1979. 148 S.

85.   Kuschel, Karl-Josef: Jesus in der deutschsprachigen Gegenwartsliteratur. Mit e. Vorwort von Walter Jens. 3. Aufl.
       Zürich: Benzinger; Gütersloh: Mohn 1979. XVIII, 384 S. (Ökumenische Theologie, Bd. 1)

86.   Meyers, Fritz: Böll und der untere Niederrhein.

	In: Der Niederrhein. Zeitschrift für Heimatpflege und Wandern. Krefeld. 46 (1979), H. 4, S. 390–395.
(146.)	Dörr, Arnold: Christliche und gesellschaftliche Motive in Romanen Heinrich Bölls. 1980.
87.	Heinrich Böll als Filmautor. Rezensionsmaterial aus dem Literatur-Archiv der Stadtbücherei Köln zusammengestellt anläßlich der Böll-Filmreihe der Volkshochschule Köln. Hrsg. Stadt Köln. Köln 1982. 98 S.
88.	Jürgenbehring, Heinrich: Liebe, Religion und Institution. Die theologisch-politische Thematik im Werk Heinrich Bölls. Bielefeld 1982. 299 S., maschinenschriftl. vervielfältigt.
89.	Dotterweich, Sigrid: Heinrich Böll „Heimat (. . .), eine der wärmsten und schönsten Vokabeln". Entwurf eines Heimatbegriffes in Leben und Werk. Bamberg 1983. 101 S. 1. Staatsexamensarbeit für das Lehramt, maschinenschriftl. vervielfältigt.
90.	Heinrich Böll als politischer Publizist. Drei Studien und ein Kurs-Modell für die Unterrichtspraxis. Hrsg. von Jürgen Förster. Bad Honnef: Keimer; Zürich: Hebsacker 1983. 128 S. (Keimers Abhandlungen zur deutschen Sprache und Literatur. Bd. 5.)
91.	Min, Zhang: Frauenfiguren bei Heinrich Böll. Düsseldorf 1984. 188 S. Univ. Düsseldorf, Magisterarbeit, maschinenschrift. vervielfältigt.
92.	Clingen, Beate: Das Familienbild in den Romanen Heinrich Bölls. Köln 1985, 127 S. Köln. Univ., 1. Staatsexamensarbeit für das Lehramt Sek. II, maschinenschriftl. vervielfältigt
93.	Deschner, Margareta: Heinrich Böll's Utopian Feminism. In: The University of Dayton Review. Dayton, Ohio. Vol. 17, 1985. No. 2. S. 119–129
94.	Nahrgang, W. Lee: Heinrich Böll's Pacifism. Its Roots and Nature. In: The University of Dayton Review. Dayton, Ohio. Vol. 17. 1985, No. 2. S. 107–118.
95.	Supplié, Regine: Zeitkritik und Zeitdarstellung in den Romanen Bölls nach 1980. Paderborn 1985. 162 S. Univ. Paderborn, Magisterarbeit, maschinenschriftl. vervielfältigt.

96.   Ulsamer, Lothar: Zeitgenössische deutsche Schriftsteller als Wegbereiter für Anarchismus und Gewalt.
        Esslingen: Deugro-Verl. 1987. 268 S.
96a.   Maier, Hans: Sprache und Politik. Essay über aktuelle Tendenzen. Briefdialog mit Heinrich Böll. Osnabrück: Edition Interform. 68 S. (Texte + Thesen 80)
96b.   Nielen, Manfred: Frömmigkeit bei Heinrich Böll.
        Annweiler: Plöger — Edition Simultan 1987. 149 S.
96c.   Wirth, Günter: Heinrich Böll. Religiöse und gesellschaftliche Motive im Prosawerk.
        Köln: Pahl-Rugenstein 1987. Ca. 300 S.
96d.   Heinrich Böll. Erzählungen und Romane I. Krieg und Nachkrieg. Hrsg. von Harald Gerber.
        Hollfeld: Bange 1987. 128 S.

2.4 Einzelne Gattungstypen/Textsorten

2.4.1 Erzählungen, Kurzgeschichten

97.   Daniels, Karlheinz: Wandlung des Dichterbildes bei Heinrich Böll. Wir Besenbinder. Es wird etwas geschehen.
        In: Neophilologus, Gronningen, 49 (1965), S. 32—43.
(59)   Jeziorkowski, Klaus: Rhythmus und Figur. Zur Technik d. epischen Konstruktion in Heinrich Bölls „Der Wegwerfer" u. „Billiard um halbzehn". 1968.
98.   Friedrichsmeyer, Erhard: Böll's Satires.
        In: The University of Dayton Review. Dayton, Ohio. Vol. 10, 1973, No. 2. S. 5—10.
99.   Interpretationen zu Heinrich Böll. Kurzgeschichten.
        T. 1. 6. Aufl. 1976. 102 S.
        T. 2, 5. Aufl. 1975. 106 S.
        München: Oldenbourg. (Interpretationen zum Deutschunterricht.)
100.   Böll, Viktor: Bölls ‚Katharina Blum'. Die Erzählung und ihre Verfilmung. Köln 1977. 92 S.
        Univ. Köln, 1. Staatsarbeit für das Lehramt an Gymnasien, maschinenschriftl. vervielfältigt.
101.   Conrad, Robert C.: The Relationship of Heinrich Böll's Satire „The Thrower-away" to Jonathan Swift's „A Modest Proposal".

In: Michigan Academician Papers of the Michigan Academy of Science, Arts, and Letters. Ann Arbor, Mich. 10 (1977), No. 1, S. 37–46.

102. Goette, Ernst und Jürgen-Wolfgang Goette: Interpretationen für den Kritischen Deutschunterricht. Heinrich Böll „Die Waage der Baleks" und Siegfried Lenz „Ein Freund der Regierung".
In: Erziehungswissenschaft und Beruf. Vierteljahresschrift für Berufspädagogik. Rinteln. 25 (1977), H. 4, S. 492–498.

103. Linden, Juliane: Katharina Blum. Ein Frauenschicksal der siebziger Jahre. Kingston 1977. 89 S. Univ. Kingston, Ontario, Dep. of German, Thesis, maschinenschriftl. vervielfältigt.

104. Head, David: Der Autor muß respektiert werden. Schlöndorff/ Trotta's „Die verlorene Ehre der Katharina Blum" and Brecht's critique of film adaptation.
In: German Life and Letters. Oxford. Vol. 32, 1979. No. 3, S. 248–264.

105. Niansheng, Gao: Über die chinesische Übersetzung der Erzählung. ,Die verlorene Ehre der Katharina Blum'.
In: Fremdsprachen unserer Zeit. Guangdong, China. 4. 1979, S. 69–75.
(in chinesischer Sprache)

106. Becker, Bender, Böll und andere. Hrsg. von Gerhard Rademacher. Nordrhein-westf. Literaturgeschichte für den Unterricht.
Essen: Neue Dt. Schule 1980. 206 S. (Neue pädagogische Bemühungen. 85.)

107. Beiträge zur Semantik der Erzählung. Studies in the semantics of narrative. Ed. cur. Z. Kanyó.
Langelsheim: Münchberg 1980. 459 S. (Studia poetica. 3.)

108. Petersen, Anette: Die Rezeption von Bölls Katharina Blum in den Massenmedien der Bundesrepublik Deutschland.
Kopenhagen: Verl. Text & Kontext; 1980. 110 S. m. Beil. (Text & Kontext. Sonderr. 9.)

109. Friedrichsmeyer, Erhard: Die satirische Kurzprosa Heinrich Bölls.
Chapel Hill, N. C.: The University of North Carolina Press 1981. 221 S.
(University of North Carolina. Studies in the Germanic Languages and Literatures; 97.)

110

110. Kicherer, Friedhelm: Heinrich Böll. Die verlorene Ehre der Katharina Blum oder Wie Gewalt entstehen und wohin sie führen kann. Analysen u. Interpretationen m. -didakt.-method. Hinweisen z. Unterrichtsgestaltung.
Hollfeld/Ofr.: Beyer 1981. 160 S. m. graph. Darst. (Analysen u. Reflexionen. 41.)

111. Neis, Edgar: Erläuterungen zu Heinrich Böll, Romane, Erzählungen und Kurzgeschichte. 5. Aufl.
Hollfeld/Ofr.: Bange 1981. 87 S.
(Königs Erläuterungen u. Materialien. 70.)

112. Sewell, William S.: „Konduktion und Niveauunterschiede". The Structure of Böll's ‚Katharina Blum'.
In: Monatshefte. Madison (Wisc.) 74 (1982), No. 2, p. 167–178.

113. Oligmüller, Hans-Georg: Literaturverfilmung am Beispiel der Erzählung Bölls und des Films Schlöndorffs/von Trottas „Die verlorene Ehre der Katharina Blum". Eine Unterrichtsreihe in einem Grundkurs 13.
Leverkusen 1983. 209 S. 2. Staatsarbeit für das Lehramt Sekundarstufe II, maschinenschriftl. vervielfältigt.

114. Graf, Günter: Literaturkritik. Eine Einführung am Beispiel von Heinrich Böll ‚Die verlorene Ehre der Katharina Blum'. Text- und Arbeitsbuch.
Frankfurt: Hirschgraben-Verl. 1984. 64 S.

115. Friedrichsmeyer, Erhard: Böll's Short Stories since 1977.
In: The University of Dayton Review. Dayton, Ohio. Vol. 17, 1985, No. 2, S. 63–70.

116. Kuhn-Osius, Eckhard K.: Continuity and Change in Heinrich Böll's Work „Die Waage der Baleks" and „Erwünschte Reportagen".
In: The University of Dayton Review. Dayton, Ohio. Vol. 17, 1985, No. 2, S. 45–62.

117. May-Johann, Andreas: Formen perspektivischen Erzählens am Beispiel von Veselys (Böll): Das Brot der frühen Jahre. Jasnys (Böll): Ansichten eines Clowns und Schlöndorffs/v. Trottas (Böll): die verlorene Ehre der Katharina Blum.
Köln 1985. 110 S. Köln, Univ. Magisterarbeit, maschinenschriftl. vervielfältigt.

118. Rademacher, Gerhard: Heinrich Bölls Erzählung „Die Waage der Baleks", interpretative und didaktisch-methodische Anre-

gungen in „Lesen und Lernen 5". Lehrerbegleitheft. Bonn-Bad Godesberg: Dürrsche Buchhandlung 1987. S. 76—78.

118a. Bunse-Löwenstein, Barbara: Der Gewaltbegriff bei Heinrich Böll. Eine Untersuchung unter besonderer Berücksichtigung der Erzählung „Die verlorene Ehre der Katharina Blum". Paderborn 1986, 118 S., Paderborn, Univ., Magisterarbeit, maschinenschriftl. vervielfältigt.

118b. Heinrich Böll. Erzählungen und Romane I. Krieg und Nachkrieg. Hrsg. von Harald Gerber. Hollfeld: Bange 1987. 128 S.

118c. Schilling, Brigitta: Die Sprache Borcherts und des frühen Böll, dargestellt an ausgewählten Kriegserzählungen. Köln 1987, 208 S., Köln, Univ., 1. Staatsexamensarbeit für die Sekundarstufe I und II, maschinenschriftl. vervielfältigt.

2.4.2. Romane

119. Plard, Henri: Böll le constructeur. Remarques sur ‚Billard um halbzehn'. In: Études Germaniques. Paris. 15. 1960, H. 2, S. 120—143.

(59) Jeziorkowski, Klaus: Rhythmus und Figur. Zur Technik d. epischen Konstruktion in Heinrich Bölls „Der Wegwerfer" u. „Billiard um halbzehn". 1968.

120. Pache, Walter: Funktion und Tradition des Ferngesprächs in Bölls „Ansichten eines Clowns". In: Literatur in Wissenschaft und Unterricht. Würzburg. 3 (1970), S. 151—168.

121. Bernáth, Árpád: Gruppenbild mit Dame, eine neue Phase im Schaffen Bölls. Dortmund: Kulturamt 1972. 16 S. (Dortmunder Vorträge. 107.)

122. Durzak, Manfred: Heinrich Bölls epische Summe? Zur Analyse und Wirkung seines Romans ‚Gruppenbild mit Dame'. In: Jahrbuch Basis. 3 (1972), S. 174—197.

123. Rieber-Mohn, Hallvord: Fedrenes synder. Heinrich Böll's ‚Biljard Klokken halv ti'. In: Kirk og Kultur. Oslo 77 (1972), H. 9, S. 513-521.

124. Trich, Doan: Adam, Klú dó ank o dau? In: Tu lien. Phong nglien. No. 2, 1972. S. 92-118. (in vietnamesischer Sprache).

125. Glade, Henry: Novel into Play. Heinrich Böll's ‚Clown' at the Mossoviet Theatre in Moscow. In: The University of Dayton Review. Dayton, Ohio. Vol. 10. 1973. No. 2, S. 15-23.

126.   Ley, Ralph: Compassion, Catholicism, and Communism. Reflections ou Böll's ‚Gruppenbild mit Dame'. In: The University of Dayton Review. Dayton, Ohio. Vol. 10. 1973. S. 25–39.

127.   Waidson, H. M.: Heroine and Narrator in Heinrich Böll's ‚Gruppenbild mit Dame'. In: Forum for Modern Language Studies. St. Andrews. Vol. 9, 1973, No. 2, S. 123–131.

128.   Carlson, Ingeborg L.: Heinrich Bölls „Gruppenbild mit Dame" als Frohe Botschaft der Weltverbrüderung. In: The University of Dayton Review. Dayton, Ohio. Vol. 11, No. 2, 1974, S. 51–64.

129.   Deschner, Margareta: Böll's „Lady". A New Eve. In: The University of Dayton Review. Dayton, Ohio. Vol. 11, No. 2, 1974, S. 11–24.

130.   Pickar, Gertrud B.: The Impact of Narrative Perspective on Character Portrayal in Three Novels of Heinrich Böll. In: The University of Dayton Review. Dayton, Ohio, Vol. 11, No. 2, 1974, S. 25–40.

131.   Rapp, Dorothea: Mysterien jenseits von Pathos und Theorie. Heinrich Böll ‚Gruppenbild mit Dame'. In: Die Drei. Zeitschrift für Wissenschaft, Kunst und soziales Leben. Stuttgart: 44 (1974), H. 4, S. 205–211.

132.   Rieck, Werner: Heinrich Böll in der Rolle des Rechercheurs – Gedanken zur Erzählweise im Roman „Gruppenbild mit Dame". In: Wissenschaftliche Zeitschrift. Pädagogische Hochschule „Karl Liebknecht". Potsdam, 18 (1974), H. 2, S. 249–255.

133.   Stewart, Keith: The American Reviews of Heinrich Böll. A Note on the Problems of the Compassionate Novelist. In: The University of Dayton Review. Dayton, Ohio. Vol. 11, No. 2 1974. S. 5–10.

134.   Aytac, Gürsel: Romanci yönüyle Heinrich Böll. Ankara: Üniversitesi Basimeri 1975. 312 S. (Ankara Üniversitesi dil ve Tarih-coğrafya Fakültesi. Yayinlarindan; No. 253.)

135.   Jeziorkowski, Klaus: Heinrich Böll. Die Syntax des Humanen. In: Zeitkritische Romane des 20. Jahrhunderts. Die Gesellschaft in der Kritik der deutschen Literatur. Hrsg. von Hans Wagener. Stuttgart: Reclam 1975. S. 301–317.

136.   Reschke, Thomas: Die Funktion des dokumentarischen Erzählgestus in Bölls „Gruppenbild mit Dame". Bonn 1975.

113

153 S. Univ. Bonn, 1. Staatsexamensarbeit für das Lehramt an Gymnasien. maschinenschriftl. vervielfältigt.

137. Bahr, Erhard: Geld und Liebe in Bölls Roman ‚Und sagte kein einziges Wort'. In: The University of Dayton Reviews. Dayton, Ohio. Vol. 12, 1976, No. 2, S. 33−39.

138. Beck, Evelyn T.: A Feminist Critique of Böll's ‚Ansichten eines Clowns'. In: The University of Dayton Review. Dayton, Ohio. Vol. 12, 1976, No. 2, S. 19−32.

139. Glade, Henry and Konstantin Bogatyrev: The Soviet Version of Heinrich Böll's ‚Gruppenbild mit Dame'. The Translator as Censor. In: The University of Dayton Review. Dayton, Ohio. Vol. 12, 1976, No. 2, S. 51−56.

140. Pickar, Gertrud B.: The Symbolic Use of Color in Heinrich Bölls ‚Billard um halbzehn'. In: The University of Dayton Review. Dayton, Ohio. Vol. 12, 1976, No. 2, S. 41−50.

141. Ziolkowski, Theodore: The Author as Advocatus Dei in Heinrich Böll's Group Portrait with Lady. In: The University of Dayton Review. Dayton, Ohio. Vol. 12, 1976, No. 2, S. 7−17.

142. Grothmann, Wilhelm H.: Zur Strukur des Humors in Heinrich Bölls ‚ Gruppenbild mit Dame'. In: The German Quarterly. Appleton/Wiss., 50 (1977), No. 3, S. 150−160.

143. Kretschmer, Michael: Literarische Praxis der „Mémoire collective" in Heinrich Bölls Roman „Billard um halb zehn". In: Erzählforschung. Hrsg. von Wolfgang Haubrichs. Göttingen 1977, S. 191−215. (Zeitschrift für Literaturwissenschaft und Linguistik, Beiheft 6.).

144. Langwald-Voris,Renate: Realismusprobleme im Gegenwartsroman: drei Modelle. Ohio State Univ. 1978, 283 S. Diss., maschinenschriftl. vervielfältigt.

145. Bernáth, Árpád: Heinrich Bölls historische Romane als Interpretationen von Handlungsmodellen. Eine Untersuchung der Werke „Der Zug war pünktlich" und „Wo warst Du, Adam?"- In: Studia poetica. Szeged, 3. 1980, S. 307−370.

146. Dörr, Arnold: Christliche und gesellschaftliche Motive in Romanen Heinrich Bölls. Berlin 1980. 110 S. Berlin, Freie Univ., Magisterarbeit, maschinenschriftl. vervielfältigt.

147. Krumbholz, Martin: Ironie im zeitgenössischen Ich-Roman. Grass, Walser, Böll. München: Fink 1980 (Münchener Universitätsschriften. Reihe der Philosoph. Fak. 19.).

148.   Materialien zur Interpretation von Heinrich Bölls ‚Fürsorgliche Belagerung'. Köln: Kiepenheuer § Witsch 1981, 95 S.

149.   Ribbart, Ernst: Heinrich Böll ‚Und sagte kein einziges Wort'. Ein Rettungsversuch mit Vorbehalten. In: Der Deutschunterricht. Beiträge zu seiner Praxis und wissenschaftlicher Grundlegung. Stuttgart. 33 (1981), H. 3, S. 51−61.

150.   Neunzig, Eva und Rudi Strauch: Heinrich Bölls ‚Ansichten eines Clowns' im Spiegel der Kritik. Köln 1982. 80 S., zahlr. graph. Darst. Univ. Köln, Hauptseminararbeit WS 1981/82, maschinenschriftl. vervielfältigt.

151.   Aoki, Junzo: Bemerkungen zu Heinrich Böll in den Siebziger Jahren, besonders zu seinem jüngsten Roman „Fürsorgliche Belagerung". In: Die Deutsche Literatur. Tokyo. 72 (1984), S. 74−84 (in japanischer Sprache mit deutscher Zusammenfassung).

152.   Bernáth, Árpád: Auftritt um halb zehn? Über den Roman ‚Ansichten eines Clowns' von Heinrich Böll. In: The University of Dayton Review. Dayton, Ohio. Vol. 17. 1985. No. 2. S. 129−143.

153.   Ghurye, Charlotte W.: Heinrich Böll's ‚Fürsorgliche Belagerung'. A Bloodless Novell of Terrorism? In: The University of Dayton Review. Dayton, Ohio. Vol. 17. 1985. No. 2 S. 77−82.

154.   Götze, Karl-Heinz: Heinrich Böll „Ansichten eines Clowns". München: Fink 1985. 111 S. (Text und Geschichte. Modellanalysen zur deutschen Literatur.)

(117.)   May-Johann, Andreas: Formen perspektivischen Erzählens am Beispiel von Veselys (Böll): Das Brot der frühen Jahre, Jasnys (Böll): Ansichten eines Clowns und Schlöndorffs/v. Trottas (Böll): Die verlorene Ehre der Katharina Blum. 1985.

155.   Pickar, Gertrud B.: Game Playing, Re-entry and Withdrawal. Patterms of Societal Interaction in ‚Billard um halbzehn' and ‚Fürsorgliche Belagerung'. In: The University of Dayton Review. Dayton, Ohio. Vol. 17. 1985. No. 2 S. 83−106.

156.   Schnepp, Beate: Sexualität, Liebe und Ehe in den Romanen Heinrich Bölls. Wuppertal 1985. 127 S. Univ. Wuppertal, 1. Staatsprüfung für das Lehramt Sekundarstufe II, maschinenschriftl. vervielfältigt.

(95.)   Supplié, Regine: Zeitkritik und Zeitdarstellung in den Romanen Bölls nach 1980. 1985.

157.   Linnartz, Karin: Die Darstellung gesellschaftlicher Führungs-

geschichten in ausgewählten Romanen Heinrich Bölls. Köln 1986, 114 S. Köln, Univ., 1. Staatsexamensarbeit für das Lehramt Sek. II, maschinenschriftl. vervielfältigt.

157a.   Lang, Martina: Das Bild der Geschlechter bei Heinrich Böll. Dargestellt an ausgewählten Romanen (Frauen vor Flußlandschaft, Gruppenbild mit Dame, Haus ohne Hüter). Münster 1986, 128 S., Münster, Univ., 1. Staatsexamensarbeit für das Lehramt Sek. II, maschinenschriftl. vervielfältigt.

157b.   Wahl, Marion: Jerome David Salingers provozierende Kraft – Eine Demonstration der Aus- und Einwirkungen von „The Catcher in the Rye" auf Heinrich Bölls „Ansichten eines Clowns" anhand eines Vergleichs. Stuttgart 1986, 163 S., Stuttgart, Univ., Magisterarbeit, maschinenschriftl. vervielfältigt.

157c.   Jürgensen-Horrion, Yvonne: Das Frauenbild bei Heinrich Böll. Köln 1987, 90 S., Köln, Univ., 1. Staatsexamensarbeit für die Sekundarstufe II, maschinenschriftl. vervielfältigt.

(96c.)   Wirth, Günter: Heinrich Böll. Religiöse und gesellschaftliche Motive im Prosawerk. Köln: Pahl-Rugenstein 1987. ca. 300 S.

157d.   Withag, Marga: Die Geburt eines Romans. Zur Entstehung des Romans „Gruppenbild mit Dame" von Heinrich Böll. Utrecht 1987, 54 S., Utrecht, Univ., Abschlußarbeit, maschinenschriftl. vervielfältigt.

157e.   Schaller, Thomas: Die Rezeption von Heinrich Böll und Günter Grass in den USA. Böll und Grass im Spiegel der Unterrichtspraxis an höheren amerikanischen Bildungsinstitutionen. Frankfurt-Bern: Lang 1988, ca. 136 S. (Europäische Hochschulschriften. Reihe I. Dt. Sprache u. Lit. 1061).

2.4.3 Hörspiele, Schauspiele

(125.)   Glade, Henry: Novel into Play. Heinrich Böll's „Clown" at the Mossoviet Theatre in Moscow. 1973.

158.   Martin, Jeannine: L'oeuvre radiophonique de Heinrich Böll. La communication dans l'impasse. Nancy: Presses universitaires de Nancy 1983. 283 S.

2.4.4 Gedichte

159. Conard, Robert C.: Introduction to the Poetry of Heinrich Böll. In: The University of Dayton Review. Dayton, Ohio. Vol. 13. 1976. No. 1, S. 9—22.

160. Conard, Robert C.: Introduction to the Poems of Heinrich Böll since 1972. In: The University of Dayton Review. Dayton, Ohio. Vol. 17, 1985, No. 2, S. 21—33.

161. Heinrich Böll als Lyriker. E. Einf. in Aufsätzen, Rezensionen und Gedichtproben. Gerhard Rademacher (Hrsg.). Mit Beitr. von Heinrich Böll u. a. Frankfurt am Main: Lang, 1985, 138 S.

162. Rademacher, Gerhard: Auf der Suche nach der ‚urbs abscondita'. Zu zwei Köln-Gedichten von Heinrich Böll und Paul Celan. In: The University of Dayton Review. Dayton, Ohio. Vol. 17, 1985, No. 2, S. 35—43.

2.4.5 Aufsätze, Essays, Reden, Berichte/Reportagen, Erinnerungen

163. Heinrich Böll. Freies Geleit für Ulrike Meinhof. Ein Artikel u. s. Folgen. Zsgest. von Franz Grützbach. Mit Beitr. von . . . Köln: Kiepenheuer & Witsch 1972. 192 S. (Pocket. 36.).

164. Conard, Robert C.: Heinrich Böll's Essays as Art Forms. An Interpretation of „The Moscow Bootblacks". In: The University of Dayton Review. Dayton, Ohio. Vol. 13, 1976, No. 1, S. 75—80.

165. Jeziorkowski, Klaus: Das Unerklärliche. Zu Heinrich Bölls Essay „Die Juden von Drove". In: The University of Dayton Review. Dayton, Ohio. Vol. 17. 1985. No. 2. S. 145—152.

(116.) Kuhn-Osius, Eckhard K.: Continuity and Change in Heinrich Böll's Work „Die Waage der Baleks" and „Erwünschte Reportagen". 1985.

165a. Szytark, Andrej: „Bild, Bonn, Boenisch" von Heinrich Böll als Beispiel der politischen Essayistik der 80er Jahre. Katowice 1987, 78 S., Katowice, Univ., Magisterarbeit, maschinenschriftl. vervielfältigt.

166.   Hinrichsen, Irene: Der Romancier als Übersetzer. Annemarie
        u. Heinrich Bölls Übertragungen englisch-sprach. Erzählpro-
        sa. Ein Beitr. z. Übersetzungskritik. Bonn: Bouvier 1978. 241 S.
        Zugl. Diss. 1977. (Schriftenreihe Literaturwissenschaft. 7.).

Register der Primärliteratur*

* Die Ziffern beziehen sich auf die jeweilige(n) Titelnummer(n). Primär- und Sekundär-
titel sind gesondert gezählt.

120

Register der Sekundärliteratur*
(Personen-, Sachtitel-, Stichwortverzeichnis)

* Vgl. Anm. S. 119

Reich-Ranicki, Marcel 14, 51
Reid, James H. 57
Religion 56, 58, 63, 65, 74, 79, 88
Reportage 116, 163—165
Reschke, Thomas 136
Rezeption 12, 16, 19, 23, 33, 34,
  39, 42, 43, 49, 105, 108, 125, 133,
  139
Rheinland 77
Rhetoriker 53b
Rhythmus 59
Ribbart, Ernst 149
Rieber-Mohn, Hallvord 123
Rieck, Werner 132
Roman 111, 119, 121—123, 131,
  132, 134
Romancier 119, 122
Ross, Werner 53b
Salyámosy, Miklós 41
Satire 98, 109, 142, 147
Schaller, Thomas 42, 157e
Schauspiel 125
Schilling, Brigitta 118c
Schnedl-Bubeniček, Hanna 79
Schnepp, Beate 156
Der Schriftsteller Heinrich Böll 1,
  3, 6
Schröter, Klaus 52
Schwarz, Wilhelm Johannes 12
Sewell, William S. 112
Sölle, Dorothee 47
Staat 88, 96

Stil 59, 75, 136
Stewart, Keith 133
Stiebert, Klaus 76
Strauch, Rudi 150
Stresau, Hermann 9
Die subversive Madonna 27
Supplié, Regine 95
Szytark, Andrej 165a
Text und Kritik 32, 38
Thorell, Bengt 67, 68
Trich, Doan 124
Tsernaia, L. 61
Übersetzer 166
Übersetzung 139, 166
Ulsamer, Lothar 96
Vierstraete, Jan 80
Vogt, Jochen 32, 53
Vormweg, Heinrich 47, 53b
Wagener, Hans 135
Wahl, Marion 157b
Waidson, H. M. 127
Warnach, Walter 83
Das Werk Heinrich Bölls 4
Whitcomb, Richard O. 69
White, Ray Lewis 33
Wirth, Günter 53d, 58, 96c
Withag, Marga 157d
Zeit 57, 95
Zeitkritik 64, 95
Ziltener, Walter 36, 39
Ziolkowski, Theodore 7, 141
Zu Heinrich Böll 40

Quellennachweise

Böll, Heinrich: Anzeige (1963), unveröffentlicht, Heinrich-Böll-Archiv, Stadtbücherei Köln (I, 1)*

B., H.: [Engel, wenn Du ihn suchst], unveröffentlicht, ebenda. (I, 2)

B., H.: Engel, wenn Du ihn suchst (ED) in: Engel der Geschichte. H.4. (1965) unter dem Pseudonym Victor Hermann(s). (I, 3)

Arnold, Heinz Ludwig: Brief an H. B. (2. 7.1981), unveröffentlicht, Heinrich-Böll-Archiv, Stadtbücherei Köln. (II, 1)

[Böll, Heinrich]: Heiliger Sachzwang, Quelle nicht ermittelt, ebenda. (II, 2)

B., H.: Geburtsanzeige, unveröffentlicht, ebenda. (II, 3)

B., H.: Ein Kind ist uns geboren, ein Wort ist uns geschenkt, in: Böll, Heinrich: Wir kommen weit her. Gedichte. Mit Collagen von Klaus Staeck. Nachwort von Lew Kopelew. Steidl-Verlag Göttingen 1968. S. 63. − Hier nach dem Original im Heinrich-Böll-Archiv faksimiliert. (II, 4)

B., H.: Ein Kind ist uns geboren, ein Wort ist uns geschenkt! − Geburtsanzeige, Druckvorlage im Heinrich-Böll-Archiv mit handschriftlicher Notiz des Autors: „Kopie fürs Archiv machen [. . .]", bisher unveröffentlicht. (II, 5)

B., H.: Anzeige zur Separatveröffentlichung (Liebhaberdruck zu „L '80) (1981) des Gedichtes in „Die Zeit", nach dem Beleg aus dem Heinrich-Böll-Archiv, in dem weitere Angaben fehlen. (II, 6)

B., H.: Ein Kind ist uns geboren, ein Wort ist uns geschenkt! − Geburtsanzeige, in: Böll, Heinrich: Wir kommen weit her. a. a. O. S. 60.

B., H.: Für Tomas Kosta, in : Böll, Heinrich: Wir kommen weit her. a. a. O. S. 80−81. − Hier nach der Vorlage im Heinrich-Böll-Archiv. (III, 1)

B., H.: Frei nach B. B. − Für Tomas Kosta zum 60., in: Böll, Heinrich: Wir kommen weit her. a. a. O. S. 79. (III, 2)

Görgey, Gábor: Gefühlvolle Reise. Erinnerungen an Tage mit Heinrich Böll, in: Süddeutsche Zeitung Nr. 163. Samstag/Sonntag, 19./20. Juli 1986. S. 151.

Jeziorkowski, Klaus: Das Unerklärliche.** Zu Heinrich Bölls Essay „Die Juden von Drove", in: University of Dayton Review. Dayton, Ohio. Vol. 17, No. 2 (Summer 1985) p. 145−152.

Köhler, Otto: Warnung vor dem Dichter, in: Die Zeit Nr. 16. 15. April 1988. S. 66.

Rademacher, Gerhard/Schüler, Mechthild: Auswahlbibliographie, Originalbeitrag; ein Teil der hier erfaßten Literatur wurde in der vom 26. 11. 1986 bis 15. 1. 1987 veranstalteten Ausstellung „40 Jahre Literatur in Nordrhein-Westfalen − zum Beispiel Heinrich Böll", Stadt- und Landesbibliothek Dortmund, gezeigt.

---

* Die Gedichte sind in ihren unterschiedlichen Fassungen z. T. zwar im Heinrich-Böll-Archiv gesammelt, aber nicht erschlossen. Deshalb handelt es sich bei unserer Numerierung (I, 1−3, II, 1−6, III, 1−2) nur um eine formale Anordnung, nicht um die adäquate Folge der einzelnen Entstehungsphasen der drei Gedichte. S. dazu auch die Präsentation der Gedichte „Meine Muse" und „für Peter Huchel" in: Rademacher, Gerhard (Hrsg.): Heinrich Böll als Lyriker. a. a. O. S. 111−132.

Rademacher, Gerhard: Sanfter Engel und subversive Madonna.** Mythologische Anspielungen in und zu Gedichten Heinrich Bölls, Originalbeitrag.
Vormweg, Heinrich: Aus der Nähe. Zum Tode Heinrich Bölls, in: L '80. Demokratie und Sozialismus. Zeitschrift für Literatur und Politik. H. 35 (September 1985), S. 5–10.
Vormweg, Heinrich: Heinrich Böll der Schriftsteller** , ebenda. H 36 (Dezember 1985), S. 13–21.

Den Autoren, Verlagen und sonstigen Rechtsinhabern sei für die Erst- bzw. Nachdruckerlaubnis der Texte gedankt.

Hinweise zu den Autoren

Heinz Ludwig Arnold, Jahrgang 1940, nach dem Studium der Rechte und der Literaturwissenschaften Sekretär bei Ernst Jünger (1961–64), seit 1962 als Literaturkritiker tätig. Veröffentlichungen u. a.: Herausgeber der Zeitschrift „TEXT + KRITIK" (seit 1962), „Gespräche mit Schriftstellern" (1975), Hrsg. der Autorenbücher (seit 1976) und des „Kritischen Lexikons zur deutschsprachigen sowie zur fremdsprachigen Gegenwartsliteratur" (seit 1978).
Heinrich Böll, 1917–1985; nach dem Abitur Buchhändlerlehre, nach dem Krieg zeitweilig Studium der Germanistik, Behördenangestellter. Veröffentlichungen seit 1947, u. a. „Der Zug war pünktlich" (1949), „Das Brot der frühen Jahre" (1955), „Billard um halbzehn (1959)", „Ansichten eines Clowns" (1963), „Gruppenbild mit Dame" (1971), „Die verlorene Ehre der Katharina Blum" (1974), „Fürsorgliche Belagerung" (1979), „Frauen vor Flußlandschaft" (1985). Zahlreiche literarische Auszeichnungen, u. a. „Großer Kunstpreis von NRW" (1959), „Georg-Büchner-Preis" (1967), „Nobelpreis für Literatur" (1972).
Gábor Görgey, Jahrgang 1929, Studium der Germanistik und Theologie. Veröffentlichungen aus den letzten Jahren, u. a. „Die andere Hälfte des Hundes" (1983), „Bühnenbeleuchtung" (1984), „Anatomie eines Abendmahls", „Galopp auf der Generalswiese" (beide 1987). Literarische Auszeichnungen: „Robert-Graves-Preis" (1976), „Jozsef-Attila-Preis" (1980), „Pro Arte" (1985).
Klaus Jeziorkowski, Jahrgang 1935, Professor für neuere deutsche Literaturwissenschaft an der Goethe-Universität in Frankfurt a. M. Veröffentlichungen u. a. „Gottfried Keller: ‚Kleider machen Leute'" (1984), „Eine Iphigenie rauchend. Aufsätze und Feuilletons zur deutschen Tradition" (1987).

** Bei diesen Texten handelt es sich um die Druckfassung der im Beiprogramm zu der Ausstellung „40 Jahre Literatur in Nordrhein-Westfalen – zum Beispiel Heinrich Böll" (a. a. O.) gehaltenen Vorträge.
Die Rechte für die abgedruckten Gedichte und ihre Fassungen liegen bei René Böll, Lamuv-Verlag, Bornheim-Merten.

Otto, Köhler, Jahrgang 1935, nach den Studium Redaktion „Pardon" (1963–66), Medienkolumnist in „Der Spiegel" (1966–72), seither freier Journalist und Schriftsteller. Veröffentlichungen u. a. in Böll, Heinrich: „Freies Geleit für Ulrike Meinhof" (1972), zuletzt „. . . und heute die ganze Welt – Die Geschichte der IG-Farben" (1986).

Gerhard Rademacher, Jahrgang 1935, lehrt nach langjähriger Tätigkeit im Schuldienst, Promotion und Habilitation am „Institut für deutsche Sprache und Literatur" an der Universität Dortmund. Veröffentlichungen u. a.: „Technik und industrielle Arbeitswelt in der deutschen Lyrik des 19. und 20. Jahrhunderts" (1976), „Becker, Bender, Böll u. a. (Hrsg., 1980), „Das Technik-Motiv und seine didaktische Relevanz" (1981), „Heinrich Böll als Lyriker" (Hrsg., 1985), Lesewerke und Sammelbände (Hrsg.) zur Didaktik der Literatur und Jugendliteratur seit 1972.

Mechthild Schüler, Bibliothekarin.

Heinrich Vormweg, Jahrgang 1928, lehrt neben seiner Tätigkeit als Literatur- und Theaterkritiker als Honory-Professor des German Department der University of Warwick, Coventry. Veröffentlichungen u. a. „Die Romane von Christoph Martin Wieland" (Diss., 1955)), „Die Wörter und die Welt" (1968), „Das Elend der Aufklärung" (1984), „Weil die Stadt so fremd geworden ist, Gespräche mit Heinrich Böll" (1985), „Günter Grass" (1986).